UM PRESENTE DE

PARA

SEU NOME É JESUS

Jesus

O cumprimento da promessa do amor de Deus

MAX LUCADO

Traduzido por EMIRSON JUSTINO

mundocristão
São Paulo

Texto compilado por Terri Gibbs
Design: Koechel Peterson & Associates, Inc., Minneapolis, EUA
Publicado originalmente por Thomas Nelson Inc., Tennessee, EUA

Os textos das referências bíblicas foram extraídos da *Nova Versão Internacional* (NVI), da Sociedade Bíblica Internacional, salvo indicação específica.

Dados Internacionais de Catalogação na Publicação (CIP)
(Câmara Brasileira do Livro, SP, Brasil)

Lucado, Max

Seu nome é Jesus / Max Lucado; [traduzido por Emirson Justino]. — São Paulo: Mundo Cristão, 2010.

Título original: His Name is Jesus.
ISBN 978-85-7325-618-5

1. Deus (Cristianismo) — Amor 2. Jesus Cristo 3. Jesus Cristo — Biografia 4. Jesus Cristo — Ensinamentos 5. Jesus Cristo — Influência 6. Jesus Cristo — Miscelânea I. Título.

10-01453 CDD-232.954

Índice para catálogo sistemático:
1. Jesus Cristo: Ensinamentos: Cristologia 232.954
Categoria: Inspiração

Publicado no Brasil com todos os direitos reservados por:
Editora Mundo Cristão
Rua Antônio Carlos Tacconi, 79, São Paulo, SP, Brasil, CEP 04810-020
Telefone: (11) 2127-4147
Home page: www.mundocristao.com.br

1ª edição: agosto de 2010
Printed in China

SUMÁRIO

PREFÁCIO

Jesus foi ao mesmo tempo comum e incomum; alternava entre o normal e o heroico. Em um momento, estava entre os jogadores de dominó no parque e, no instante seguinte, ordenava que o inferno saísse de um homem louco, que a doença saísse de um moribundo e que a morte deixasse o morto. Quem foi esse homem que falava tão facilmente com crianças e pescadores, com viúvas e ondas? Essa é a pergunta que se repete há séculos e que chega até nós hoje.

Sua história foi extraordinária. Considerava-se divino, entretanto permitiu que um soldado raso do exército romano enfiasse um prego em seu pulso. Exigiu pureza, porém levantou-se para defender os direitos de uma prostituta arrependida. Chamou os homens a marchar, todavia não admitiu que o chamassem Rei. Enviou homens ao mundo, mas equipou-os apenas com joelhos dobrados e lembranças de um carpinteiro ressurreto.

Não podemos considerá-lo simplesmente um bom mestre. Suas declarações são demasiadamente ultrajantes para limitá-lo à companhia de Sócrates ou Aristóteles. Também não podemos categorizá-lo como mais um dos muitos profetas enviados para revelar verdades eternas. Suas próprias declarações eliminam essa possibilidade.

Quem é ele?

Vamos tentar descobrir. Vamos seguir as pegadas de suas sandálias. Vamos nos sentar no chão duro e frio da gruta onde ele nasceu. Vamos sentir o cheiro de serragem de sua carpintaria. Vamos ouvir suas sandálias golpeando o chão duro das trilhas da Galileia. Vamos suspirar ao tocar as feridas curadas do leproso. Vamos sorrir ao ver sua compaixão para com a mulher junto ao poço. Vamos deixar que nossa voz se eleve com os louvores da multidão. Vamos tentar vê-lo.

Esta é minha oração: que, à medida que você ler este livro, Jesus deixe de ser uma figura disforme, saída de uma miragem no deserto, para transformar-se na face tangível de um grande amigo. Minha ideia é simples. Vamos visitar alguns lugares por onde ele passou e algumas pessoas em quem tocou. Junte-se a mim em uma busca por sua "Deus-humanidade". Você pode se maravilhar.

O que é ainda mais importante é que você pode ser transformado.

MAX LUCADO

Ele acalmou a tempestade com uma ordem.

Ele ressuscitou o morto com uma proclamação.

Ele redirecionou a história do mundo com a vida.

SEU NASCIMENTO

Jesus...

Ele podia segurar o universo

na palma da mão,

mas abdicou disso para flutuar

no ventre de uma virgem.

O Local Humilde do Nascimento

José também foi da cidade de Nazaré da Galileia para a Judeia, para Belém, cidade de Davi, porque pertencia à casa e à linhagem de Davi. Ele foi a fim de alistar-se, com Maria, que lhe estava prometida em casamento e esperava um filho. Enquanto estavam lá, chegou o tempo de nascer o bebê, e ela deu à luz o seu primogênito. Envolveu-o em panos e o colocou numa manjedoura, porque não havia lugar para eles na hospedaria.

LUCAS 2:4-7

A IMAGINAÇÃO de qualquer pessoa fica inquieta ao pensar na conversa que o dono da hospedaria teve com sua família à mesa do café. Alguém mencionou a chegada do jovem casal na noite anterior? Perguntou como estavam? Ou comentou a gravidez da moça que veio montada em um jumento? Talvez. É bem possível que alguém tenha tocado no assunto. Contudo, na melhor das hipóteses, se alguém levantou a questão, ela não foi discutida. Não havia nada de extraordinário neles. Foram provavelmente apenas mais uma das muitas famílias rejeitadas naquela noite.

Além do mais, quem tinha tempo para conversar sobre eles com tanta agitação ao redor? Augusto fez um enorme favor à economia de Belém quando decretou a realização de um censo. Quem poderia se lembrar disso em um momento de tanto alvoroço no vilarejo?

Não, é muito difícil que alguém tenha mencionado a chegada do casal ou se preocupado com a condição da moça. Estavam ocupados demais. O dia seria cheio. Tinham de preparar o pão do dia. As tarefas da manhã precisavam ser realizadas. Havia coisas demais em que pensar para imaginar que o impossível havia acontecido.

Deus viera ao mundo por meio de um bebê...

Não poderia haver lugar mais humilde para um nascimento.

Do lado de fora havia um grupo de pastores. Estavam sentados no chão em silêncio. Talvez perplexos, talvez com medo, mas certamente maravilhados. Sua vigília noturna fora interrompida por uma explosão de luz vinda do céu e uma sinfonia de anjos. Deus vai até aqueles que têm tempo de ouvi-lo — assim, naquela noite sem nuvens, ele foi até simples pastores de ovelhas.

Ao lado da jovem mãe está o pai cansado. Se há alguém sonolento ali, é ele. Não se lembra da última vez em que se sentou. Agora que aquela agitação havia diminuído, agora que Maria e o bebê estavam confortáveis, ele se encosta à parede do estábulo e sente os olhos pesarem. Ele ainda não havia entendido tudo. O mistério do evento o confunde. Entretanto, não possuía forças para pensar naqueles questionamentos. O importante é que o bebê está bem e que Maria está segura. Com a chegada do sono, lembra-se do nome que o anjo pediu que ele colocasse no menino... Jesus. "O nome dele será Jesus."

Maria, porém, está bastante desperta. Puxa, como ela é jovem! Sua cabeça repousa sobre o couro macio da sela de José. A dor foi suplantada pela admiração. Ela olha para a face do bebê. Seu filho. Seu Senhor. Sua Majestade. Nesse ponto da história, o ser humano que melhor compreende quem é Deus e o que está fazendo é a adolescente deitada naquele estábulo malcheiroso. Ela não consegue tirar os olhos dele. De alguma forma sabe que está segurando o próprio Deus.

Ele veio NÃO COMO UM CLARÃO DE LUZ
NEM COMO UM CONQUISTADOR INACESSÍVEL,

mas como aquele cujos primeiros
choros foram ouvidos
por uma moça simples
e um carpinteiro sonolento.

Uma Interpretação Celestial

DEUS TOCOU O OMBRO coletivo da humanidade. "Com licença", disse ele, e a eternidade interrompeu o tempo, a divindade interrompeu a carnalidade e o céu interrompeu a terra na forma de um bebê. O cristianismo nasceu de uma enorme interrupção celestial. ❆ Pergunte aos pastores de Belém. Sabemos muito pouco sobre esses homens. Como se chamavam? Qual sua idade? Quantos trabalhavam naquela noite? Não sabemos. Mas de uma coisa temos certeza: eles não tinham as expectativas de agitação. Aqueles homens cuidavam de ovelhas. "Naquela região havia pastores que estavam passando a noite nos campos, tomando conta dos rebanhos de ovelhas" (LC 2:8, NTLH). Presumimos que ovelhas dormem! ❆ Além do mais, esse era o turno da noite. Era praticamente como olhar a tinta secar. Pastores olhando ovelhas dormirem? Dizer essa frase é mais excitante do que o trabalho em si. O maior desafio deles era não dormir! Aqueles homens nem sequer aventavam a hipótese de qualquer alvoroço. ❆ Também não desejavam nada disso.

Qualquer agitação era sinônimo de coisa ruim — lobos, pumas, ladrões. Pastores valorizavam o previsível. Ansiavam pela calma. Seu único objetivo era poder dizer às esposas: "Nada aconteceu esta noite". ❉ O fato de desejarem uma noite tranquila, porém, não significava que a teriam. ❉ "E aconteceu que um anjo do Senhor apareceu-lhes e a glória do Senhor resplandeceu ao redor deles; e ficaram aterrorizados" (LC 2:9). ❉ A mudança sempre traz medo antes de produzir fé. Sempre esperamos pelo pior antes de ver o melhor. Deus interrompe nossa vida com algo que nunca vimos e, em vez de louvá-lo, entramos em pânico! Interpretamos a existência de um problema como ausência de Deus e fugimos! ❉ Alguma coisa boa os pastores viram, senão teriam perdido o versículo seguinte. ❉ "Hoje, na cidade de Davi, lhes nasceu o Salvador, que é Cristo, o Senhor" (LC 2:11).

Deus veio a nós

NÃO BASTOU AOS PASTORES VEREM OS ANJOS. TALVEZ VOCÊ PENSE QUE SIM. O céu noturno se encheu de luz. A quietude rompida pela canção. Pastores comuns acordados de seu sono e colocados em pé por um coro de anjos: "Glória a Deus nas alturas!". Aqueles homens jamais viram tal esplendor.

Entretanto, não bastou aos pastores verem os anjos. Eles quiserem ver aquele que enviara os anjos. E como não ficariam satisfeitos até que o vissem, você pode traçar a longa linhagem dos seguidores de Cristo a pessoas em um pasto dizendo umas às outras: "Vamos [...], *vejamos* [...]" (LC 2:15, grifo do autor).

Os magos tiveram o mesmo desejo. Queriam que seus olhos contemplassem Jesus. Tal como os pastores, eles não ficaram satisfeitos com aquilo que viram no céu noturno. Não que a estrela não fosse espetacular. Não que o fato não fosse histórico. Ser testemunha daquele astro reluzente foi um privilégio; para os magos, porém, não foi suficiente. Não bastou ver a luz sobre Belém; precisavam ver a Luz de Belém. Foram até lá para vê-lo.

Simplesmente como Jesus

"Ela dará à luz um filho,
e você deverá dar-lhe o nome de JESUS,
porque ele salvará o seu povo
dos seus pecados."

MATEUS 1:21

SEU NOME É...

Jesus

JESUS

Nos quatro evangelhos do Novo Testamento, é seu nome mais comum — usado quase seiscentas vezes. E como seu nome era comum! Jesus é a forma grega de Josué ou Jesua — nomes muito familiares do Antigo Testamento. Quando Deus escolheu o nome que seu filho teria, escolheu um nome humano. Escolheu um nome tão comum que apareceria duas ou três vezes em qualquer lista de presença.

Ele era tangível, acessível, alcançável.

Aqueles que caminharam com ele lembram-se não de um título ou de uma designação, mas de um nome: Jesus.

Quando Deus decidiu revelar-se, ele o fez (surpresa das surpresas) por meio de um corpo humano. A língua que chamou o morto para fora era uma língua humana. A mão que tocou o leproso tinha sujeira embaixo das unhas. Os pés sobre os quais a mulher chorou tinham calos e estavam sujos. E suas lágrimas — ah, não se esqueça de suas lágrimas — vieram de um coração tão partido quanto o seu ou o meu às vezes fica.

Por conta disso, pessoas foram a ele. Puxa, e como foram a ele! Foram à noite; tocaram-no enquanto caminhava pela rua; seguiram-no no mar, dando a volta pela costa; convidaram-no a ir aos seus lares e colocaram seus filhos aos pés dele. Por quê? Porque ele se recusou a ser uma estátua numa catedral ou um sacerdote num púlpito elevado. Em vez disso tudo, ele escolheu ser Jesus.

DEUS VEIO A NÓS

PORQUE ELE É AMOR...

Se você fosse Deus, dormiria sobre a palha,
beberia leite materno e usaria fraldas?
Eu não, mas Cristo sim.

Ele deixou de comandar anjos para dormir sobre a palha.

Deixou de dirigir as estrelas para apertar o dedo de Maria.

Quando viu o tamanho do útero, poderia ter desistido.

Quando percebeu como suas mãos seriam pequenas, quão suave seria sua voz,
quanta fome seu estômago sentiria, poderia ter desistido.

Ao primeiro sinal do mau cheiro do estábulo, diante da primeira rajada de ar frio.

Na primeira vez em que arranhou o joelho ou assoou o nariz ou comeu pão queimado,
poderia ter virado as costas e ido embora.

Quando viu o chão poeirento de sua casa em Nazaré.

Quando José lhe deu uma tarefa a cumprir.

Quando seus colegas de escola cochilaram durante a leitura da Torá, a sua Torá.

Em qualquer momento Jesus poderia ter dito: "Chega! Já basta! Vou para casa".
Mas ele não fez isso.

Não o fez, porque ele é amor.

Aprenda a compartilhar um amor que vale a pena

Completamente Humano, Completamente Divino

OS ANJOS VIRAM Maria trocar as fraldas de Deus. O universo assistiu maravilhado ao Todo-poderoso aprender a andar. Crianças brincaram com ele na rua. Se o líder da sinagoga de Nazaré soubesse quem estava ouvindo seus sermões...

Talvez Jesus tenha tido espinhas. Quem sabe fosse desafinado. Pode ser que uma menina de sua rua tenha se apaixonado por ele, ou vice-versa. Seus joelhos podem ter sido ossudos. Uma coisa é certa: embora fosse completamente divino, ele também era completamente humano.

Por trinta e três anos ele sentiria tudo o que eu e você já sentimos. Ele se sentiu fraco. Seus pés doeram. Teve medo do fracasso. Era suscetível a mulheres sedutoras. Ficou resfriado, arrotou e partes de seu corpo cheiravam mal. Seus sentimentos foram feridos. Ficou cansado. E sua cabeça doeu.

Pensar em Jesus por esse ângulo é... bem, parece quase irreverente, não é? Não é algo que gostamos de fazer; é incômodo. É muito mais fácil manter a humanidade de fora da encarnação. Vamos tirar o esterco em volta da manjedoura. Limpar o suor de seu rosto. Fingir que ele nunca roncou, que nunca assoou o nariz ou que nunca acertou o dedo com o martelo...

Mas não faça isso. Pelos céus, não faça. Deixe que ele seja tão humano quanto desejava ser. Deixe que ele entre no meio da sujeira e da lama de nosso mundo. Pois somente se o deixarmos entrar é que ele poderá nos tirar dali.

Cristo tornou-se um de nós.

E ELE O FEZ PARA REDIMIR A TODOS NÓS.

O Crescimento em Nazaré

A CIDADE DE NAZARÉ fica num cume. Certamente nenhum menino nazareno resistiria a um passeio até a borda para olhar para o vale logo abaixo. Sentado duzentos metros acima do nível do mar, o jovem Jesus podia examinar o mundo que criara. Flores silvestres na primavera. Poentes maravilhosos. Pelicanos voando logo acima do ribeiro de Quisom e seguindo-o até o mar da Galileia. Grama salpicada de tomilho aos seus pés. Campos e figueiras à distância. Será que esses momentos não inspiraram palavras posteriores? "Vejam como crescem os lírios do campo" (MT 6:28) ou "Observem as aves do céu" (MT 6:26). As palavras do Jesus mestre nasceram nos pensamentos do Jesus menino.

Ao norte de Nazaré ficam as colinas de Naftali, coroadas de vegetação. Ao lado de uma delas situava-se a vila de Safed, conhecida na região como "a cidade colocada sobre a colina". Será que Jesus estava pensando em Safed quando disse "Não se pode esconder uma cidade construída sobre um monte" (MT 5:14)?

O fabricante de jugos mais tarde explicou: "O meu jugo é suave" (MT 11:30). Aquele que certamente tirou serragem dos olhos diria: "Por que você repara no cisco que está no olho do seu irmão, e não se dá conta da viga que está em seu próprio olho?" (MT 7:3).

"Jesus entrou para a vida pública com cerca de trinta anos de idade" (LC 3:23, *THE MESSAGE*). Para entrar na vida pública, você precisa deixar a vida privada. Para mudar o mundo, Jesus precisou dizer adeus ao seu mundo.

Precisou dar um beijo em Maria. Fazer uma última refeição na cozinha, dar uma última caminhada pelas ruas. Será que ele subiu uma das colinas de Nazaré pensando no dia em que subiria a colina próxima de Jerusalém?

Ele sabia o que iria acontecer. "Ele foi escolhido por Deus antes da criação do mundo" (1PE 1:20, NTLH). Cada grama de sofrimento fora registrado — a ele cabia apenas fazer sua parte.

Não que fosse obrigado. Nazaré era uma cidade aconchegante. Por que não montar uma carpintaria? Manter sua identidade em segredo? Voltar à era das guilhotinas ou da cadeira elétrica e passar a cruz adiante. Ser forçado a morrer é uma coisa, mas dispor-se a tomar a própria cruz é algo bem diferente...

O dia em que deixou Nazaré é o dia em que ele declarou sua devoção por mim e por você.

O Salvador mora ao lado

Mas esvaziou-se a si mesmo, vindo a ser servo,
tornando-se semelhante aos homens.
E, sendo encontrado em forma humana,
humilhou-se a si mesmo e foi obediente até a morte,
e morte de cruz!

FILIPENSES 2:7-8

Cristo esvaziou-se a si mesmo. Ninguém em Nazaré o saudou como o Filho de Deus. Ele não se destacou na fotografia da classe da escola primária, nem exigiu que sua apresentação no livro de alunos do ensino médio fosse em papel brilhante. Os amigos o conheciam como o carpinteiro, não como o aluno que ganhou medalha de honra ao mérito. Sua aparência não fazia as pessoas virarem o pescoço; sua posição não lhe concedeu nenhum reconhecimento. No grande salto que chamamos de Natal, Jesus abandonou os privilégios celestiais e revestiu-se das dores terrenas. "Mas aniquilou-se a si mesmo, tomando a forma de servo" (FP 2:7, RC).

Deus procura aqueles que façam o mesmo.

Quebrando a rotina

A maior descoberta

DO UNIVERSO É O MAIOR
AMOR DO UNIVERSO:

o amor de Deus.

Ele Deixou a Carpintaria

A IMENSA PORTA RANGEU à medida que era aberta. Com apenas alguns passos, ele cruzou a oficina vazia e abriu as venezianas de madeira para que um raio de sol penetrasse na escuridão, pintando um quadrado de luz do dia no chão empoeirado.

Deu uma olhada na carpintaria. Permaneceu por um instante no refúgio daquela pequena sala que abrigara tantas lembranças agradáveis. Pegou o martelo. Passou os dedos pela lâmina afiada da serra. Bateu na madeira já bastante desgastada do cavalete. Viera para dizer adeus.

Chegara o momento de partir. Ouvira alguma coisa que o fez saber que aquela era a hora. Assim, veio sentir pela última vez o cheiro de serragem e madeira.

A vida era calma ali. A vida era tão... segura.

Passara incontáveis horas de alegria ali. Naquele chão empoeirado ele brincou e engatinhou enquanto seu pai trabalhava. Foi ali que José o ensinou a segurar um martelo. Foi naquela bancada que ele construiu sua primeira cadeira.

Imagino o que ele pensou ao dar a última olhada na sala. Talvez tenha parado por um instante na bancada, olhando para a pequena sombra projetada pelo cinzel e os cavacos de madeira. Talvez tenha prestado atenção nas vozes do passado que enchiam o ar.

Fico pensando se ele hesitou. Se seu coração estava partido. Se segurou algum prego nas mãos, antevendo a dor que sentiria...

A partida deve ter sido difícil. Afinal de contas, a vida de carpinteiro não era ruim. Não era ruim mesmo. Os negócios iam bem. O futuro era brilhante, e o trabalho era agradável...

Fico pensando se ele quis ficar. "Poderia fazer um bom trabalho aqui em Nazaré. Estabelecer-me nesta cidade. Ter uma família. Ser um líder da comunidade."

Penso assim porque sei que ele já havia lido o último capítulo. Ele sabia que os pés que se afastariam da sombra segura da carpintaria não descansariam até que fossem perfurados e pregados numa cruz romana.

Sabe, ele não precisava partir. Ele tinha escolha. Poderia ter permanecido. Poderia ter ficado de boca fechada. Poderia ter ignorado o chamado ou no mínimo deixado para depois. E, se tivesse optado por ficar, quem saberia? Quem o culparia?

Mas o coração não o deixaria fazer isso. Se houve alguma hesitação da parte de sua humanidade, ela foi vencida pela compaixão de sua divindade. Sua divindade ouviu as vozes. Sua divindade ouviu o clamor desesperado do pobre, as acusações amargas do abandonado, o desespero da incerteza daqueles que tentam salvar a si mesmos.

E sua divindade viu os rostos. Alguns franzidos. Alguns chorosos. Alguns ocultos por trás de véus. Alguns obscurecidos pelo medo. Alguns sinceros em sua busca. Alguns pasmos diante do tédio. Do rosto de Adão à face da criança que nasceu em algum lugar do mundo enquanto você lia estas palavras, ele viu a todos.

E você pode estar certo de uma coisa. Dentre as vozes que ecoaram naquela carpintaria em Nazaré, estava a sua voz. Suas orações silenciosas, feitas num travesseiro manchado de lágrimas, foram ouvidas antes mesmo de serem feitas. Suas dúvidas mais profundas sobre morte e eternidade...

Ele partiu por sua causa.

Deus veio a nós

Jesus

O bebê de Belém

Emanuel.

Lembra-se da promessa do anjo? "'A virgem ficará grávida e dará à luz um filho, e lhe chamarão Emanuel', que significa 'Deus conosco'" (MT 1:23).

Emanuel. O nome aparece na mesma forma hebraica em que foi apresentado dois mil anos atrás. "Emanu" significa "conosco". "El" refere-se a Elohim, ou Deus. Não é "Deus acima de nós", nem "Deus em algum lugar da vizinhança". Ele veio como o "conosco Deus", o Deus conosco.

Também não é "Deus com o rico" ou "Deus com o religioso". Mas Deus conosco. Todos nós. Russos, alemães, brasileiros, budistas, mórmons, motoristas de caminhão, taxistas e bibliotecários. Deus conosco.

SUA MISSÃO

Jesus...

O galileu bronzeado que falou com autoridade estrondosa e humildade pueril.

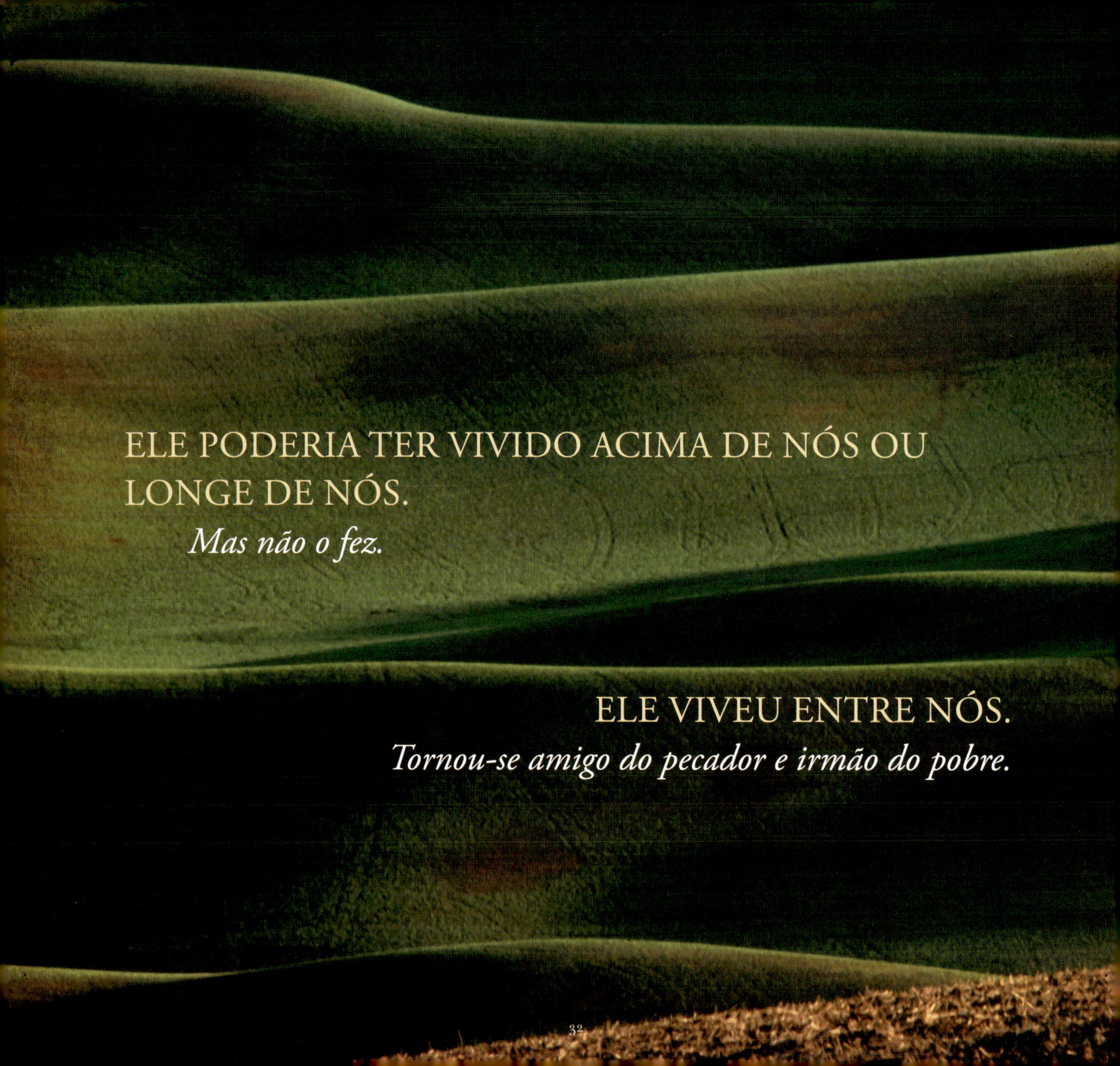

ELE PODERIA TER VIVIDO ACIMA DE NÓS OU LONGE DE NÓS.

Mas não o fez.

ELE VIVEU ENTRE NÓS.

Tornou-se amigo do pecador e irmão do pobre.

Jesus É Tentado no Deserto

JESUS ENTROU NO RIO JORDÃO como um carpinteiro e saiu como Messias. Com a pele ainda molhada da água de seu batismo, ele se afastou da comida e dos amigos e entrou no território das hienas, dos lagartos e dos abutres. "Jesus, cheio do Espírito Santo voltou do Jordão e foi levado pelo Espírito ao deserto, onde, durante quarenta dias, foi tentado pelo Diabo. Não comeu nada durante esses dias e, ao fim deles, teve fome". (LC 4:1-2).

O deserto não foi algo comum para Jesus. A normalidade fora deixada no Jordão e seria redescoberta na Galileia. O deserto foi e é atípico. Um parêntese obscuro na história da vida. Uma época brutal de encontros cara a cara com o diabo.

Jesus enfrentou tentação por quarenta noites. Perceba que ele não enfrentou tentação em apenas um dos quarenta dias. Jesus foi levado "ao deserto, onde, durante quarenta dias, foi tentado pelo Diabo" (V. 1-2). A batalha não se limitou a três perguntas. Jesus passou um mês e dez dias aplicando força bruta contra Satanás. O deserto foi um inverno longo e solitário...

Lembra-se de como Satanás o tentou? "Se és o Filho de Deus..." (LC 4:3,9).

Por que Satanás diria isso? Porque ele sabia o que Cristo ouvira em seu batismo. "Este é o meu Filho amado, em quem me agrado" (MT 3:17).

"Você tem certeza que é o filho de Deus?" é o que Satanás está perguntando. Então vem o desafio: "Prove!". Prove fazendo alguma coisa:

> *"Manda esta pedra transformar-se em pão"* (LC 4:3).
>
> *"Se me adorares, tudo será teu"* (V. 7).
>
> *"Joga-te daqui para baixo"* (V. 9).

Que sedução sutil! Satanás não acusa Deus; ele simplesmente levanta dúvidas em relação a Deus. Sua obra é suficiente? Coisas materiais — como transformação de pães ou saltar do templo — recebem valor semelhante ao de obras espirituais. Ele tenta fazer-nos desviar gradualmente de nossa fonte de confiança, afastando-nos da promessa de Deus e enfatizando nosso desempenho.

Jesus não morde a isca. Nenhum sinal celeste é solicitado. Ele não pede um raio; simplesmente cita a Bíblia. Três tentações. Três declarações.

> *"Está escrito..."* (V. 4).
>
> *"Está escrito..."* (V. 8).
>
> *"Dito está..."* (V. 12).

A arma escolhida para sua sobrevivência é a Escritura. Se a Bíblia foi suficiente para o deserto dele, não seria suficiente para o nosso? Não se confunda aqui. Tudo de que eu e você precisamos para sobreviver no deserto está no Livro. Precisamos simplesmente dar-lhe ouvidos.

O mundo jamais conheceu coração tão puro,

NEM CARÁTER TÃO PERFEITO.

Sua audição espiritual era tão aguçada que jamais deixou de ouvir um sussurro celestial.

Sua misericórdia era tão abundante que nunca perdeu uma chance de perdoar.

Nenhuma mentira saiu de seus lábios, nenhuma distração atrapalhou sua visão.

Ele tocou quando outros se afastaram.

Ele suportou quando outros desistiram.

Simplesmente como Jesus

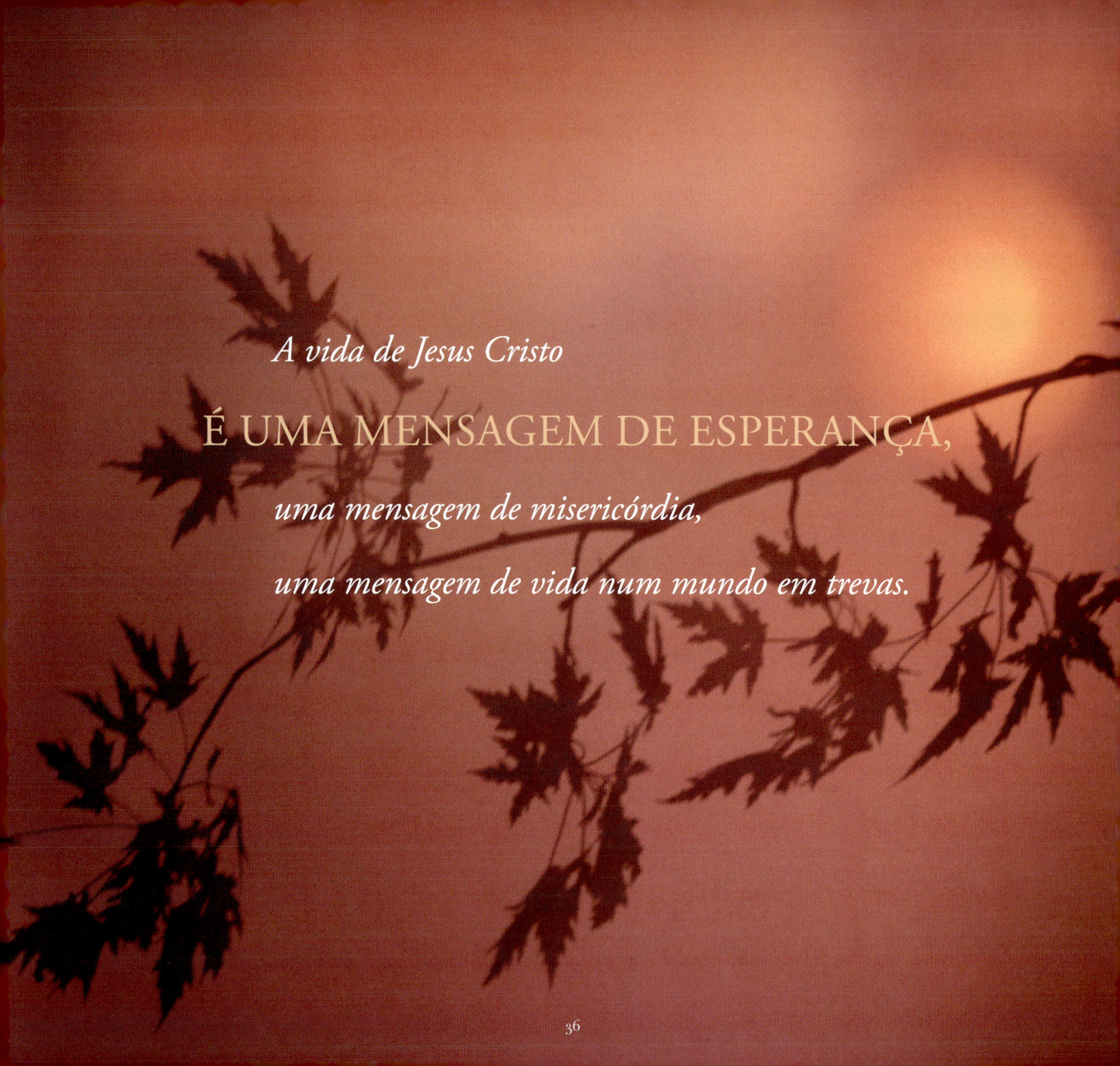

A vida de Jesus Cristo

É UMA MENSAGEM DE ESPERANÇA,

uma mensagem de misericórdia,

uma mensagem de vida num mundo em trevas.

Os Discípulos de Jesus o Seguem

"Rabi", perguntaram João e André, "onde estás hospedado?" (JO 1:38). ❊ Pergunta ousada. Não pediram que Jesus lhes desse um minuto, uma opinião, uma mensagem ou um milagre. Pediram o endereço dele. Queriam passar um tempo com ele. Queriam conhecê-lo. Queriam saber o que fizera sua cabeça virar, seu coração queimar e sua alma clamar. Queriam estudar seus olhos e seguir seus passos... Queriam saber o que o fazia rir e se já se havia cansado alguma vez. Acima de tudo, eles queriam saber: "Será que Jesus era quem João disse que ele era — e se era, o que será que Deus estaria fazendo aqui na terra?". Não dava para responder a essa pergunta conversando com o primo dele (João); precisavam conversar com o homem em pessoa. ❊ Qual foi a resposta de Jesus aos discípulos? "Venham e verão" (JO 1:39). ❊ Eles queriam mais do que salvação. Queriam o Salvador. Queriam ver Jesus.

Simplesmente como Jesus

Ele sofreu muitas dores para ser tão humano quanto o homem da esquina.
Não precisava estudar,
mas mesmo assim foi à sinagoga.

Ele não precisava receber salário,
mas ainda assim trabalhou na oficina.

Ele conheceu a comunhão dos anjos e ouviu as harpas do céu,
mas ainda assim foi a festas promovidas por coletores de impostos.

E sobre seus ombros foi colocado o desafio de redimir a criação,
mas ele ainda encontrou tempo para andar cento e quarenta quilômetros
de Jericó a Caná para ir a um casamento.

Um Casamento em Caná

IMAGINE SEIS HOMENS ANDANDO por uma estrada estreita. O amanhecer dourado explode por trás deles, projetando sombras longas à frente. O frio da manhã exige roupas mais grossas. A grama brilha com diamantes de orvalho.

O rosto dos homens demonstra avidez, mas eles são comuns. Seu líder é confiante, mas desconhecido. Eles o chamam de Rabi; sua aparência está mais para a de um trabalhador braçal. E isso está correto, pois passou mais tempo trabalhando do que ensinando. Nesta semana, porém, seu ensino teve início.

Aonde vão? Ao templo, para adorar? À sinagoga, para ensinar? Às colinas, para orar? Não lhes foi dito...

Talvez tenha sido André a perguntar. Quem sabe Pedro. Pode ser que todos tenham abordado Jesus. Mas aposto que, em algum ponto da jornada, os discípulos tenham expressado suas pressuposições.

— Então, Rabi, aonde o senhor está nos levando? Ao deserto?

— Não — opina outro. — Ele está nos levando ao templo.

— Ao templo? — desafia um terceiro. — Estamos a caminho da terra dos gentios!

Então um coro de confusão irrompe e só termina quando Jesus ergue a mão e diz calmamente:

— Vamos a um casamento.

Silêncio. João e André olham um para o outro.

— Um casamento? — dizem. — João Batista nunca foi a um casamento. Porque há bebida, riso, dança...

"Por que iríamos a um casamento?"

Boa pergunta. Por que Jesus levaria seus seguidores a uma festa, logo em sua primeira jornada? Ele não tinha princípios a ensinar? Seu tempo não era limitado? Como um casamento se encaixaria em seus propósitos aqui na terra?

Por que Jesus foi a um casamento?

A resposta? Ela é encontrada no segundo versículo de João 2: "Jesus e seus discípulos também haviam sido convidados para o casamento".

Jesus não foi convidado por ser uma celebridade. Ele ainda não era. O convite não foi motivado pelos milagres. Ele ainda não realizara nenhum. Por que o convidaram?

Acho que gostavam dele.

Você acha isso importante? Bom, eu acho que sim. Acho que é significativo o fato de que pessoas comuns de uma cidade pequena gostassem de estar com Jesus. Acho que é digno de nota perceber que o Todo-poderoso não agia com presunção...

Nada indica que ele tenha usado seu *status* celestial para seu benefício. É simplesmente impossível achar que as pessoas próximas dele ficaram cansadas de sua altivez e o questionaram: "Bem, quem lhe disse que você é Deus?".

Sua fé fez dele uma pessoa amável.

O Milagre do Vinho no Casamento

MARIA ENFRENTAVA UM DILEMA. A festa está acontecendo. Os convidados celebravam... mas o vinho acabara. Naquela época, o vinho era para a festa de casamento o que o bolo é para a festa de hoje... Oferecer vinho era mostrar respeito pelos convidados. Não oferecer vinho era um insulto...
Veja como Maria reagiu. Sua solução apresenta um plano prático para desatar os nós da vida. "Eles não têm mais vinho", disse ela a Jesus (JO 2:3).

Perceba a sequência dos eventos nos versículos seguintes: "Jesus disse aos empregados: — Encham de água estes potes. E eles os encheram até a boca. Em seguida Jesus mandou: — Agora tirem um pouco da água destes potes e levem ao dirigente da festa. E eles levaram. Então o dirigente da festa provou a água, e a água tinha virado vinho" (JO 2:7-9, NTLH).

Viu a sequência? Primeiramente, os potes foram cheios de água. Depois, Jesus instruiu os serviçais a levarem a água (não o vinho) ao dirigente da festa.

Perceba que a água tornou-se vinho depois de eles terem obedecido, não antes.

Da próxima vez que você enfrentar uma calamidade comum, siga o exemplo de Maria no casamento sem vinho:

Identifique o problema. *(Você já terá resolvido metade da questão.)*

Apresente-o a Jesus. *(Ele tem prazer em ajudar.)*

Faça o que ele disser. *(Por mais louco que possa parecer.)*

Motivado pelo amor e guiado por sua divindade,

DEUS SURPREENDEU A TODOS.
ELE SE TORNOU HOMEM.

Num mistério intangível, ele se disfarçou de carpinteiro
e viveu num vilarejo poeirento da Judeia.
Determinado a provar o amor que tinha por sua criação,
caminhou incógnito por seu próprio mundo.
Calejou as mãos de tanto tocar feridas, e suas palavras compassivas tocaram corações.

Ele se fez um de nós.

Certo dia Jesus estava perto do lago de Genesaré, e uma multidão o comprimia de todos os lados para ouvir a palavra de Deus. Viu à beira do lago dois barcos, deixados ali pelos pescadores, que estavam lavando as suas redes. Entrou num dos barcos, o que pertencia a Simão, e pediu-lhe que o afastasse um pouco da praia. Então sentou-se, e do barco ensinava o povo. Tendo acabado de falar, disse a Simão: "Vá para onde as águas são mais fundas", e a todos: "Lancem as redes para a pesca".

LUCAS 5:1-4

Jesus Prega e Fornece Peixe

Jesus precisa de um barco; Pedro o fornece. Jesus prega; Pedro fica contente com o que ouve. Jesus, porém, sugere uma viagem de pescaria no meio da manhã, e Pedro lhe dá aquela olhada. É o olhar que diz: "Não é hora de fazer isso". Passa os dedos pelo cabelo e diz, suspirando: "Mestre, esforçamo-nos a noite inteira e não pegamos nada" (V. 5). Você consegue perceber a inutilidade das palavras de Pedro?

O barco flutuou a noite inteira sobre o manto negro do mar sem pegar nenhum peixe. As lanternas de barcos distantes balançavam como vaga-lumes. Os homens lançavam as redes e enchiam o ar com o som de sua atividade.

CHUÁ, BLOP... SILÊNCIO.

CHUÁ, BLOP... SILÊNCIO.

Ah, o que Pedro deve ter pensado. "Estou cansado. Cansado até a alma. Quero comer e dormir, não sair para pescar. Será que pareço seu guia turístico? Além do mais, metade da Galileia está olhando. Já me sinto um fracasso e ele agora quer fazer uma exibição de pescaria no meio da manhã. Não dá para pescar de manhã. Não me inclua nisso."

Independentemente de quais tenham sido os pensamentos de Pedro, eles foram resumidos nesta frase: "Esforçamo-nos a noite inteira e não pegamos nada" (V. 5).

Mesmo assim, ele responde: "Mas, porque és tu quem está dizendo isto, vou lançar as redes" (V. 5).

Pedro não demonstra entusiasmo. Ele não tem nenhum. Naquele momento precisava desdobrar as redes, puxar os remos e convencer Tiago e João a adiarem o descanso. Ele tinha de trabalhar. Se a fé fosse medida em centímetros, a dele estava na casa dos décimos de milésimos. Inspirado? Não. Mas obediente? Admiravelmente. E um décimo de milésimo era tudo o que Jesus queria.

"Vá para onde as águas são mais fundas", instrui o homem-Deus.

Por que águas profundas? Será que Jesus sabia de algo que Pedro não sabia?... Encontrar peixes é fácil para o Deus que os criou. Para Jesus, o mar da Galileia é um pequeno aquário dentro de um armário de cozinha.

Pedro joga a rede, deixa que ela bata na água e então observa enquanto ela desaparece. Lucas não nos diz o que Pedro fez enquanto esperava a rede afundar, de modo que vou fazê-lo. (Estou olhando para o céu em busca de iluminação.)

Gosto de pensar que, enquanto segurava a rede, Pedro olha para Jesus por cima do ombro. Também gosto de pensar que, sabendo que Pedro está prestes a ser puxado para a água, Jesus começa a sorrir. Os lábios entreabertos por baixo do bigode começam a revelar seus dentes. Jesus tenta se conter, mas não consegue.

"Quando o fizeram, pegaram tal quantidade de peixes que as redes começaram a rasgar-se. Então fizeram sinais a seus companheiros no outro barco, para que viessem ajudá-los; e eles vieram e encheram ambos os barcos, fica ponto de começarem a afundar" (V. 6-7).

O braço de Pedro está enfiado na água. É tudo o que ele pode fazer até que os outros homens venham ajudar. Depois de alguns instantes, os quatro pescadores e o carpinteiro estão até os joelhos de saltitantes animais prateados.

Pedro tira os olhos da rede e volta-se para a face de Cristo. Naquele momento, pela primeira vez, ele vê Jesus. Não Jesus, o Descobridor de Peixes. Não Jesus, o Ímã de Multidões. Não Jesus, o Rabi. Pedro vê Jesus, o Senhor.

SEU NOME É *Jesus*

JESUS É ESPECIALISTA

EM RESTAURAR A

ESPERANÇA DA ALMA.

Um Homem Aleijado Descido pelo Telhado

O HOMEM NÃO PODIA ANDAR. Não conseguia ficar em pé. Seus membros estavam curvados, e seu corpo, torcido. Um mundo que ia apenas até a cintura passava diante dele enquanto ficava sentado e observava...

Não importa se ele nasceu paralisado ou se ficou assim depois — o resultado final era o mesmo: dependência total dos outros. Alguém precisava lavar seu rosto e banhar seu corpo. Ele não podia assoar o nariz nem fazer uma caminhada. Ele só corria nos sonhos...

Quando olhavam para ele, as pessoas não viam o homem; viam um corpo que precisava de um milagre. Não foi isso que Jesus viu, mas era o que as pessoas viam. E certamente era isso que seus amigos viam. Assim, fizeram aquilo que qualquer um de nós faria por um amigo. Tentaram conseguir alguma ajuda para ele.

Correu a notícia de que estava na cidade o carpinteiro-que-se-tornara-mestre-que-se-tornara-milagreiro. Conforme a notícia se espalhou, as pessoas foram chegando. Vieram de todo canto e choupana de Israel. Vieram como soldados voltando da batalha — enfaixados, aleijados, cegos. Velhos com rosto enrugado e boca sem dentes. Jovens com filhos surdos e coração partido. Pais com filhos que não conseguiam falar. Esposas com ventre infrutífero. Parecia que o mundo fora até lá para ver se ele era real, justo ou as duas coisas.

Quando seus amigos chegaram ao local, a casa estava cheia. Pessoas ocupavam completamente as entradas. Crianças estavam sentadas nas janelas. Outros olhavam por cima de ombros. Como aquele pequeno grupo de amigos poderia atrair a atenção de Jesus? Precisavam fazer uma escolha: entramos ou desistimos?...

Um deles disse ter uma ideia. Os quatro se reuniram em torno do paralítico e ouviram o plano para subir até o topo da casa, abrir o telhado e baixar o amigo usando suas cintas.

Era arriscado — eles poderiam cair. Era perigoso — ele poderia cair. Era incomum — abrir o telhado da casa de outra pessoa era antissocial. Era inoportuno — Jesus estava ocupado. Mas era a única chance de verem Jesus. Assim, subiram ao telhado.

A fé faz essas coisas. A fé faz o inesperado. E a fé chama a atenção de Deus. Veja o que Marcos diz: "Vendo a fé que eles tinham, Jesus disse ao paralítico: 'Filho, os seus pecados estão perdoados'" (MC 2:5).

Finalmente alguém acreditou no que ele dizia! Quatro homens tiveram suficiente esperança nele e amor por seu amigo a ponto de se arriscar. A maca que desceu foi um sinal do alto — alguém acreditava! Alguém estava disposto a arriscar-se a sofrer constrangimento e ofensa por apenas alguns momentos com o galileu.

Jesus foi tocado por aquela cena de fé.

Os amigos querem... que Jesus dê ao homem um novo corpo para que possa andar. Jesus dá graça para que o homem possa viver.

Ele ainda remove pedras

Jesus teve COMPAIXÃO pelo doente,
MISERICÓRDIA para com o rebelde e
CORAGEM para enfrentar os desafios.
DEUS DESEJA QUE VOCÊ TAMBÉM TENHA.

Um Menino Morto Volta à Vida

DUAS MULTIDÕES.
UMA ENTRANDO NA CIDADE
E OUTRA SAINDO.

Elas não poderiam ser mais diferentes. O grupo que chega está agitado, rindo e falando. Eles seguem Jesus. O grupo que sai da cidade é solene — uma massa de tristeza hipnotizada pelo réquiem da morte. Acima deles está a razão de seu pesar: um corpo frio sobre uma maca de vime.

A mulher no fim da procissão é a mãe. Ela já havia seguido por aquele caminho antes. Parece que foi ontem que sepultou o corpo do marido. Seu filho seguira com ela naquela ocasião. Agora, caminha sozinha, isolada em sua tristeza. Ela é a vítima desse funeral...

Os seguidores de Jesus param e dão passagem às sombras da procissão. O manto do luto silencia o riso dos discípulos. Ninguém fala. O que poderiam dizer? Eles sentem o mesmo desespero sentido pelos observadores de qualquer funeral. "Algum dia isso acontecerá comigo."

Ninguém intervém. O que poderiam fazer? A única opção é ficar ali e assistir à passagem dos pranteadores.

Jesus, porém, sabe o que dizer e o que fazer. Quando vê a mãe, seu coração começa a se partir... e seus lábios começam a se apertar. Ele olha furiosamente para o anjo da morte que paira sobre o corpo do menino. "Não desta vez, Satanás. Este menino é meu."

Naquele momento, a mãe passa diante dele. Jesus fala com ela. "Não chore." Ela para e olha para o rosto do estranho. Se ela não ficou chocada com a audácia dele, você pode apostar que alguma das testemunhas ficou.

Não chorar? Não chorar? Que tipo de pedido é esse?

Um pedido que somente Deus pode fazer.

Jesus caminha na direção do esquife e o toca. Aqueles que o carregam interrompem sua marcha. Os pranteadores param de se lamentar. Enquanto Jesus olha para o menino, a multidão fica em silêncio...

"JOVEM", disse ele, com voz calma, "EU LHE DIGO, LEVANTE-SE!".

Os vivos ficam inertes à medida que o morto volta à vida. Dedos enrijecidos se movimentam. Maçãs do rosto pálidas ganham cor. O homem morto se levanta.

É cativante a descrição que Lucas faz daquilo que aconteceu.

"Jesus o entregou à sua mãe" (LC 7:15).

Como você se sentiria num momento como esse? O que você faria? Um estranho lhe diz para não chorar enquanto você olha para seu filho morto. Aquele que se recusa a prantear no meio da tristeza paga para ver o blefe do diabo e, então, deixa todos horrorizados ao fazer um chamado na caverna da morte. De repente, aquilo que fora tirado é restituído. O que fora roubado é recuperado. Aquilo do que você havia abdicado lhe é devolvido.

Jesus deve ter sorrido quando os dois se abraçaram. Aturdida, a multidão irrompe em gritos e aplausos. Todos se abraçam e dão tapas nas costas de Jesus. Alguém proclama o inegável: "Deus interveio em favor do seu povo" (LC 7:16).

Quando mãos se estenderam e vozes pediram, Jesus respondeu com amor.

Ele o fez porque o código dentro dele desarmou o alarme. O código é digno de nota:

"As pessoas são preciosas."

Muitos daqueles que ele curou jamais diriam "obrigado", mas ele os curou mesmo assim.

A maioria estava mais preocupada em ficar sã do que em ser santa,
mas ele os curou mesmo assim.

Alguns daqueles que hoje pediram pão clamariam por seu sangue meses depois,
mas ele os alimentou mesmo assim.

O que Jesus sabia que lhe permitiu fazer o que fez?

Que código interno impediu que sua calma irrompesse em caos?
Ele sabia o valor das pessoas.

Jesus Acalma uma Tempestade

Jesus e os discípulos estão num barco cruzando o mar da Galileia. Uma tempestade se forma repentinamente, e o que estava calmo se torna violento — ondas monstruosas se levantam do mar e golpeiam o barco. Marcos descreve a situação com clareza: "Levantou-se um forte vendaval, e as ondas se lançavam sobre o barco, de forma que este foi se enchendo de água" (MC 4:37). ❉ É muito importante que você tenha um quadro preciso, de modo que vou pedir-lhe que se imagine naquele barco. É uma embarcação resistente, mas não é páreo para ondas de três metros de altura. A proa mergulha na parede de água. A força das ondas inclina perigosamente o barco, até que a proa parece apontar direto para o céu; quando você acha que vai virar para trás, o barco se lança para a frente, na direção do vale de outra onda. Uma dúzia de outras mãos se junta às suas agarrando o mastro. Todos os passageiros daquele barco estão com mãos molhadas e olhos arregalados. Você tenta ouvir uma voz tranquilizadora, mas tudo o que consegue escutar são gritos e orações. De repente, você se dá conta: está faltando alguém. Onde está Jesus? Ele não está no mastro. Não está se segurando na borda. Onde está ele? Então, você ouve algo — um ruído... um som diferente... como se alguém estivesse roncando. Você se vira e olha; ali, no fundo do barco, está Jesus, dormindo! ❉ Você não sabe se fica surpreso ou irritado e, desse modo, tem ambas as sensações. Como ele pode dormir num momento como esse? Ou, como perguntaram os discípulos, "Mestre, não te importas que morramos?" (MC 4:38).

JESUS SE IMPORTOU? Claro que sim! Ele simplesmente tinha uma perspectiva diferente. A mesma tempestade que fizera os discípulos entrarem em pânico o deixara sonolento. O que colocara medo nos olhos deles o fizera dormir. O barco era uma tumba para os seguidores e um berço para Cristo. Como ele podia dormir em meio a uma tempestade? Simples: ele tinha controle sobre ela.

"Ele se levantou, repreendeu o vento e disse ao mar: 'Aquiete-se! Acalme-se!' O vento se aquietou, e fez-se completa bonança. Então perguntou aos seus discípulos: 'Por que vocês estão com tanto medo? Ainda não têm fé?'" (MC 4:39-40).

Incrível. Ele não recita um mantra nem sacode uma varinha. Nenhum anjo é chamado, nenhuma ajuda é necessária. As águas revoltas se transformam instantaneamente num mar tranquilo. Calma imediata. Nem uma marola sequer. Nenhuma gota. Nenhum vento. Num instante, o mar deixa de ser uma torrente turbulenta e se transforma num lago pacífico. Qual foi a reação dos discípulos? Leia o versículo 41: "Ficaram completamente abismados, tontos. 'Afinal, quem é esse?', perguntaram. 'O vento e o mar estão ao seu dispor!'" (*The Message*).

Eles nunca viram um homem assim. As ondas lhe eram sujeitas, e os ventos lhe eram servos. E isso era apenas o começo daquilo que esses companheiros do mar viriam a testemunhar. Antes do fim, veriam peixes pulando para dentro do barco, demônios entrando em porcos, aleijados se transformando em dançarinos e cadáveres voltando a ser pessoas vivas que respiram.

Quando Jesus diz que vai cuidar de você,
ele está falando sério.

Não precisamos confiar em alguém
que seja maior do que nós?
Jesus diz:
"Eu sou essa pessoa. Confie em mim."

Todos os dias Deus satisfaz necessidades diárias

DE MANEIRA MIRACULOSA.
ELE O FEZ NO PASSADO, AINDA O FAZ

e o fará por você.

Jesus Cura a Filha de Jairo

A multidão do lado de fora da casa abre caminho para o pai. Aquelas pessoas fariam isso em qualquer dia. Afinal, ele é o líder da cidade. Mas o fazem neste dia porque a filha dele está morrendo...

Jairo caminha rapidamente pela vila pesqueira de Cafarnaum. O tamanho da multidão que o segue aumenta à medida que ele passa diante de outras pessoas. Elas sabem aonde Jairo vai. Sabem a quem ele procura. Jairo vai à praia para procurar Jesus. Ao chegarem perto da água, veem o Mestre, cercado por uma multidão. Um cidadão vai à frente para abrir caminho, anunciando a presença do chefe da sinagoga. Os aldeões acatam. Um mar Vermelho de gente, deixando uma trilha murada de pessoas. Jairo não perde um segundo sequer. "Quando viu Jesus, caiu de joelhos, transtornado, enquanto implorava, dizendo: 'Minha filha está à beira da morte. Venha e coloque suas mãos sobre ela para que melhore e viva'. Jesus foi com ele, com a multidão seguindo de perto, empurrando-o e chocando-se contra ele" (MC 5:22-24, *THE MESSAGE*).

A disposição instantânea de Jesus enche os olhos de Jairo de lágrimas. Pela primeira vez em muito tempo, um raio de sol cai sobre a alma do pai. Ele praticamente corre ao conduzir Jesus pelo caminho de volta até sua casa. Jairo ousa acreditar que está prestes a ver um milagre...

As pessoas saem do caminho e, depois da passagem deles, voltam a segui-los. Servos correm à frente para informar a esposa de Jairo. Mas então, do mesmo modo repentino como começou, Jesus para. Sem perceber, Jairo dá mais uma dúzia de passos antes de notar que está só. As pessoas pararam quando Jesus parou. Todo mundo está tentando entender a pergunta de Jesus: "Quem tocou em meu manto?" (MC 5:30). A frase dispara uma grande agitação. Cabeças viram-se umas para as outras; discípulos respondem a Cristo. Alguém dá um passo para trás para que outra pessoa possa vir à frente.

Jairo não consegue ver quem é. E, para ser franco, ele não se importa. Segundos preciosos estão indo embora. Sua filha está indo embora...

Jairo sente um toque em seu ombro. Volta-se para olhar para a face pálida de um servo triste, que lhe diz: "Sua filha morreu. Não incomode mais o Mestre" (LC 8:49).

Jesus ouviu as palavras do servo. Ninguém precisava lhe contar sobre a morte da menina. Embora separado de Jairo, ocupado com o caso da mulher, cercado por aldeões que o empurravam, Jesus jamais afastou os ouvidos do pai da menina. Jesus ouviu o tempo todo. Ele ouviu. Ele se importou. Importou-se o suficiente para acalmar o medo de Jairo, para ir à casa de Jairo.

"Tomou-a pela mão e lhe disse: 'Talita cumi!', que significa 'menina, eu lhe ordeno, levante-se!'. Imediatamente a menina, que tinha doze anos de idade, levantou-se e começou a andar" (MC 5:41-42).

Uma declaração no meio do caminho teria funcionado. Um pronunciamento de longe teria despertado o coração da menina. Mas Jesus queria fazer mais do que ressuscitar um morto. Queria mostrar que ele não apenas se importa, mas que ele vai. Ele vai a todos.

TODO DIA É UM DIA ESPECIAL

Uma Mulher É Curada de uma Hemorragia

Uma grande multidão o seguia e o comprimia. E estava ali certa mulher que havia doze anos vinha sofrendo de hemorragia. Ela padecera muito sob o cuidado de vários médicos e gastara tudo o que tinha, mas, em vez de melhorar, piorava.

MARCOS 5:24-26

UM PROBLEMA menstrual crônico. Um fluxo perpétuo de sangue. Tal condição seria difícil para qualquer mulher, em qualquer época. Mas, para uma judia, nada poderia ser pior. Todas as partes de sua vida eram afetadas.

Sexualmente... ela não podia tocar seu marido.

Maternalmente... ela não podia ter filhos.

Domesticamente... qualquer coisa na qual tocasse era considerada impura. Nada de lavar louça. Nada de colher flores.

Espiritualmente... não lhe era permitido entrar no templo.

Ela estava fisicamente exausta e socialmente isolada... Acordava todos os dias num corpo que ninguém queria. Estava decidida a fazer sua última oração. E, no dia em que a encontramos, está prestes a fazê-la.

Quando chega perto de Jesus, está cercada de pessoas. Ele está indo ajudar a filha de Jairo, o homem mais importante da comunidade. Quais seriam as chances de ele interromper uma missão urgente junto a um alto oficial para ajudar gente como ela? Muito poucas. Mas quais seriam as chances de ela sobreviver se não se arriscasse? Menores ainda. Assim, ela se arrisca.

"Se eu tão somente tocar em seu manto, ficarei curada" (V. 28).

Decisão arriscada. Para tocá-lo, ela precisará tocar as pessoas. Se uma delas a reconhecer... olá, repreensão; adeus, cura. Mas que chances ela teria? Ela não tem dinheiro, não tem influência, não tem amigos, não tem saída. Tudo o que possui é esse pressentimento maluco de que Jesus pode ajudá-la, além de uma enorme esperança de que ele vai fazer isso...

A participação dela na cura foi muito pequena. Tudo o que precisou fazer foi estender o braço por entre a multidão.

"Se eu simplesmente pudesse tocá-lo."

O importante não é a forma do esforço, mas o fato do esforço. O fato é que ela fez alguma coisa. Ela se recusou a passar mais um dia doente e resolveu agir... E, por meio desse gesto pequeno e corajoso, ela experimentou o terno poder de Jesus...

Deus honra a fé radical e que se arrisca.

ELE AINDA REMOVE PEDRAS

Deus tem uma paixão peculiar pelo esquecido.

VOCÊ JÁ NOTOU ISSO?

Viu as mãos dele sobre a pele apodrecida do leproso?

Viu a face da prostituta em suas mãos?

Viu como ele respondeu ao toque da mulher com hemorragia?

Repetidas vezes Deus deseja que entendamos a mensagem:

Ele tem uma paixão peculiar pelo esquecido.
O que a sociedade despreza, Deus acolhe.
O que o mundo destrói, Deus recupera.

QUANDO OS ANJOS SILENCIARAM

Jesus

Ao solitário, Jesus diz:

“JÁ PASSEI POR ISSO”.

Ao desanimado,
Cristo balança a cabeça e murmura:

“JÁ PASSEI POR ISSO.”

Jesus Alimenta Cinco Mil Pessoas

Cinco mil homens e suas famílias seguem os discípulos. Jesus tenta se livrar da multidão cruzando o mar, mas termina descobrindo que a multidão o espera do outro lado... Ele queria ficar um tempo a sós com os discípulos, mas, em vez disso, encontra uma multidão. Queria um tempo para pensar, mas, em vez disso, pessoas querem vê-lo.

Passa um tempo ensinando-as e, então, volta-se para Filipe e pergunta: "Onde compraremos pão para esse povo comer?" (JO 6:5).

Como Filipe respondeu?... Ele está ciente do problema, mas não faz ideia de qual seja a solução. "Duzentos denários não comprariam pão suficiente para que cada um recebesse um pedaço!" (JO 6:7)...

Igualmente perturbador é o silêncio dos outros discípulos. Estariam eles sendo otimistas? Leia suas palavras e veja por si mesmo. "Este é um lugar deserto, e já é tarde. Manda embora o povo para que possa ir aos campos e povoados vizinhos comprar algo para comer" (MC 6:35-36).

VAMOS LÁ, RAPAZES. QUE TAL UM POUCO DE FÉ? "Você pode alimentar essas pessoas, Jesus. Nenhum desafio é grande demais para o Senhor. Já o vimos curar o doente e ressuscitar o morto; sabemos que o Senhor pode alimentar essa multidão."

Mas não foi isso o que eles disseram. Se a fé é uma vela, aqueles homens estavam na escuridão.

Nunca ocorreu aos discípulos devolver o problema a Jesus. Somente André teve tal ideia, mas sua fé era pequena. "Aqui está um rapaz com cinco pães de cevada e dois peixinhos, mas o que é isto para tanta gente?" (JO 6:9).

André pelo menos foi até Jesus levando uma ideia. Mas ele não vai com muita fé. A verdade é que seria muito difícil encontrar fé na colina naquele dia...

O que Jesus faz? "Então Jesus tomou os pães, deu graças e os repartiu entre os que estavam assentados, tanto quanto queriam; e fez o mesmo com os peixes" (JO 6:11).

Quando os discípulos não oraram, Jesus orou. Quando os discípulos não viram Deus, Jesus buscou Deus. Quando os discípulos foram fracos, Jesus foi forte. Quando os discípulos não tiveram fé, Jesus teve. Ele agradeceu a Deus.

Pelo quê? Pelas multidões? Pelo pandemônio? Pelo cansaço? Pelos discípulos sem fé? Não, ele agradeceu a Deus pelo cesto de pão. Ele ignorou as nuvens e encontrou o raio de luz, e agradeceu a Deus por ele.

OUVINDO DEUS NA TORMENTA

Orando NA MONTANHA

Tendo despedido a multidão, subiu sozinho a um monte para orar.

MATEUS 14:23

O que Jesus sonhava fazer e o que parecia ser capaz de fazer estavam separados por um abismo impossível. Assim, Jesus orou.

Não sabemos sobre o que ele orou. Mas tenho meus palpites:

Orou para que olhos cegados pelo poder pudessem ver a verdade de Deus.

Orou para que discípulos encantados pelo sucesso pudessem aceitar o fracasso.

Orou para que líderes ansiosos pelo poder o seguissem até a cruz.

Orou para que pessoas que desejam pão para o corpo tivessem fome do pão para a alma.

Orou para que o impossível se realizasse.

Um dia na vida de Jesus

Jesus Chama Pedro para Andar sobre a Água

Os ventos rugem sobre o mar da Galileia como um falcão atrás de um rato. Raios cortam o céu negro. Nuvens vibram diante dos trovões. A chuva cai, primeiro leve, depois forte, e por fim golpeia o convés do barco até todos a bordo ficarem ensopados e tremendo. Ondas de três metros de altura os erguem e depois os jogam para baixo com uma força de quebrar ossos.

Esses homens ensopados não parecem uma equipe de apóstolos que está a uma década de mudar o mundo... Eles são mais parecidos com um punhado de marinheiros trêmulos que temem que a próxima onda que enfrentarão seja a última.

Você pode ter certeza de uma coisa. O que tem os olhos mais arregalados é o mesmo que tem os bíceps mais fortes: Pedro. Ele já viu tempestades antes. Já viu naufrágios e corpos inchados boiarem até a praia. Ele sabe o que a fúria do vento e das ondas pode fazer. E sabe que momentos assim não combinam com atos heroicos individuais; são momentos para buscar alguma ajuda.

É por isso que, ao ver Jesus andar sobre a água rumo ao barco, ele é o primeiro a dizer "Senhor, [...] se és tu, manda-me ir ao teu encontro por sobre as águas" (MT 14:28).

Bem, alguns dizem que essa declaração é uma simples tentativa de comprovação. Sugerem que Pedro quer saber se aquele que veem é realmente Jesus, e não simplesmente uma pessoa qualquer que estaria passeando naquele mar agitado pela tempestade no meio da noite. (Puxa, não é possível ser tão cauteloso assim.)...

Não compro essa ideia. Não acho que Pedro esteja buscando esclarecimento; creio que está tentando salvar o pescoço. Ele tem consciência de dois fatos: está afundando e Jesus está em pé. E não leva muito tempo até que escolha onde gostaria de estar.

Uma interpretação melhor de seu pedido talvez seja esta: "Jesuuuuuuuuuuus! Se é você, me tire daqui!".

"Venha", é o convite.

E Jesus não precisou falar duas vezes... Quando foi confrontado com a escolha entre morte certa e possível sobrevivência, Pedro soube o que queria.

Os primeiros passos vão bem. Depois de um pequeno progresso sobre a água, porém, ele se esquece de olhar para aquele que o colocou ali, e então afunda...

Em contrapartida, Pedro sabe que é melhor não morder a mão que pode salvá-lo. Sua resposta pode não ter tido muita classe — provavelmente não o colocaria na capa de nenhuma revista importante —, mas é suficiente para tirá-lo das águas profundas:

"Salve-me!"

Como Pedro prefere engolir orgulho a beber água, uma mão surge no meio da tempestade e o puxa para cima.

A mensagem é clara.

Enquanto Jesus for uma em muitas opções, ele não será uma opção. Se você puder carregar seus fardos sozinho, não precisará de alguém que os carregue para você...

Mas, quando você chora, quando chega a ponto de se entristecer por seus pecados, quando admite que não há outra opção senão lançar sobre ele todos os seus cuidados e quando não há nenhum outro nome pelo qual chamar, então lance suas preocupações sobre ele, pois ele está esperando no meio da tempestade.

O aplauso do céu

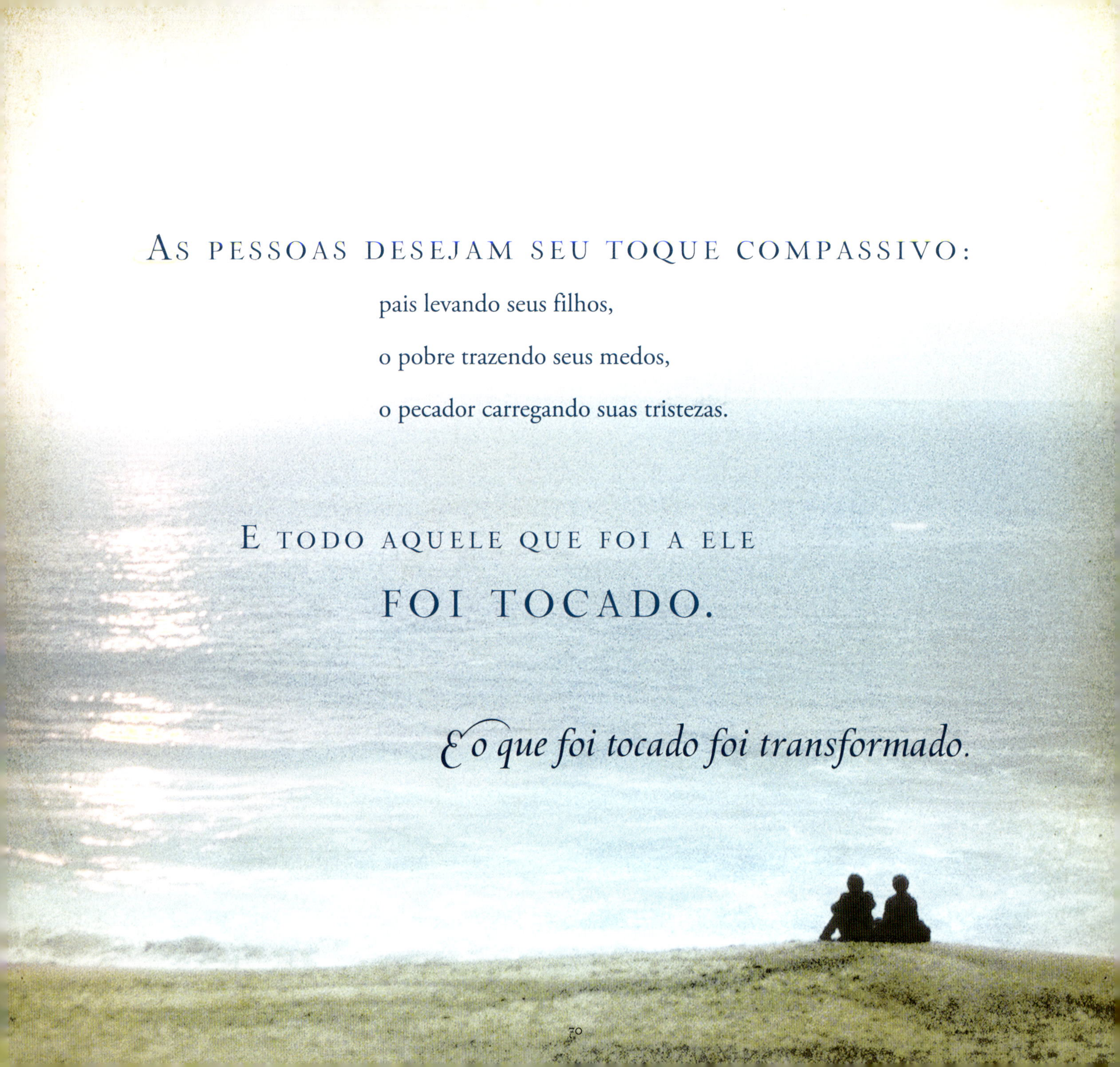

AS PESSOAS DESEJAM SEU TOQUE COMPASSIVO:

pais levando seus filhos,

o pobre trazendo seus medos,

o pecador carregando suas tristezas.

E TODO AQUELE QUE FOI A ELE

FOI TOCADO.

E o que foi tocado foi transformado.

AS MÃOS QUE SEGURARAM

AS ESTRELAS NO CÉU

TAMBÉM LIMPARAM AS LÁGRIMAS

DA VIÚVA E DO LEPROSO.

MAX LUCADO

Quando ele desceu do monte, grandes multidões o seguiram. Um leproso, aproximando-se, adorou-o de joelhos e disse: "Senhor, se quiseres, podes purificar-me!"

Jesus estendeu a mão, tocou nele e disse: "Quero. Seja purificado!" Imediatamente ele foi purificado da lepra.

MATEUS 8:1-3

Jesus

Jesus Tocou os Intocáveis

ÀS VEZES FICO PENSANDO... no homem que sentiu o toque compassivo de Jesus. Ele faz uma aparição, apresenta um pedido e recebe um toque. Mas aquele toque mudou sua vida para sempre...

Penso nesse homem porque, nos tempos do Novo Testamento, a lepra, ou hanseníase, era a doença mais temida. Essa enfermidade transformava o corpo numa massa de úlceras e matéria em decomposição. Os dedos se curvavam e torciam. Pedaços da pele perdiam a cor e exalavam mau cheiro. Certos tipos de hanseníase destruíam terminações nervosas, levando à perda de dedos das mãos, dos pés e até do pé ou mão inteiros. O leproso morria aos centímetros.

As consequências sociais eram tão severas quanto as físicas. Considerado contagioso, o leproso ficava em quarentena, banido numa colônia de leprosos.

Nas Escrituras, o leproso é o símbolo do derradeiro proscrito: infectado por algo que não procurou, rejeitado por seus conhecidos, evitado pelas pessoas que não conhecia, condenado a um futuro que não poderia suportar...

O toque de Jesus não curou o doente, é bom dizer. Mateus tem o cuidado de mencionar que foi o pronunciamento de Jesus, e não seu toque, que eliminou a doença...

A infecção foi banida por uma palavra de Jesus.

A solidão, porém, foi tratada por um toque de Jesus.

Jesus tocou os intocáveis do mundo.

SIMPLESMENTE COMO JESUS

UMA MULHER PEGA EM PECADO

É manhã...

Um galo faz seu recital matutino.

Um cachorro late, dando boas-vindas ao dia.

E um jovem carpinteiro fala num pátio.

JESUS ESTÁ SENTADO, envolvido por uma roda de ouvintes. Alguns concordam, acenando com a cabeça, e abrem o coração em obediência. Eles aceitaram o mestre como seu mestre e estão aprendendo a aceitá-lo como seu Senhor...

Não sabemos qual era o assunto daquela manhã. Oração, talvez. Ou quem sabe bondade ou ansiedade. Fosse qual fosse o assunto, ele foi logo interrompido quando algumas pessoas entraram correndo no pátio.

Determinadas, elas irromperam de uma rua estreita e correram até Jesus. Os ouvintes tiveram dificuldades para sair do caminho delas. A multidão é composta por líderes religiosos, presbíteros e diáconos da época. Homens respeitados e importantes. Lutando para manter o equilíbrio em meio àquela onda de ira está uma mulher vestida com roupas impróprias.

Havia pouco, ela estivera na cama com um homem, que não o marido. Era assim que ela ganhava a vida? Talvez sim. Talvez não. Talvez o marido já não estivesse por ali, o coração dela poderia estar partido, o toque do estranho foi terno e, antes que pudesse perceber, acontecera. Não sabemos.

Mas o que de fato sabemos é que uma porta foi aberta abruptamente e ela foi arrancada de uma cama. Ela mal teve tempo de cobrir o corpo antes de ser arrastada para a rua por dois homens da idade de seu pai. Que pensamentos passaram por sua mente enquanto tentava se levantar?...

Com postura de santidade, a multidão avança na direção do mestre. Jogam a mulher em sua direção. Ela praticamente cai.

"Mestre, esta mulher foi surpreendida em ato de adultério. Na Lei, Moisés nos ordena apedrejar tais mulheres. E o senhor, que diz?"

Atrevidos, ainda que por conta de coragem alheia, sorriem maliciosamente como se vissem o rato indo atrás do queijo.

A mulher busca as faces, ansiosa por encontrar um olhar compassivo. Não encontra nenhum. Em vez disso, vê apenas acusação. Olhares indiretos. Lábios apertados. Dentes rangendo. Olhares que condenam sem ver.

Corações frios e empedernidos que condenam sem sentimento.

Olha para baixo e vê as pedras nas mãos da turba — pedras da retidão, cujo propósito é tirar-lhe a luxúria a pedradas. Os homens apertam as pedras com tanta força que as pontas de seus dedos ficam brancas. Eles apertam as pedras como se fossem a garganta daquele pregador que tanto odeiam...

Fico pensando: será que ele se cansou de ver corações manchados e rejeitados?

Jesus viu um coração assim ao olhar para aquela mulher. Os pés dela estavam descalços e enlameados. Os braços cobriam-lhe o peito, e as mãos se apertavam logo abaixo do queixo. E seu coração, bem, seu coração estava em farrapos, rasgado tanto pela própria culpa como pela ira da turba.

Diante disso, com a ternura que somente um pai pode ter, ele resolve desatar os nós e consertar os buracos.

Começa distraindo a multidão. Ele desenha no chão. Todos olham para baixo. A mulher sente alívio assim que os olhares dos homens se afastam dela.

Os acusadores são persistentes. "Diga-nos, mestre! O que o senhor quer que façamos com ela?"

Ele poderia ter perguntado por que eles não haviam trazido o homem. A lei também o incriminava. Ele poderia ter perguntado por que, de uma hora para outra, eles estavam tirando a poeira de um velho mandamento que estava na prateleira havia séculos. Mas não o fez.

Ele simplesmente ergueu a cabeça e fez um convite: "Acho que, se vocês nunca cometeram um erro, então têm o direito de apedrejar essa mulher". Voltou o olhar para baixo e começou a desenhar na terra outra vez.

Alguém limpou a garganta, como se fosse dizer algo, mas ninguém disse nada. Pés se mexeram. Olhares baixaram. Então ouviu-se um baque seco... mais um... outro. As pedras começaram a cair no chão.

E eles começaram a ir embora. A começar pela barba mais grisalha e terminando na mais escura, todos se viraram e partiram. Vieram como um, mas saíram um a um.

Jesus pediu à mulher que olhasse para cima. "Ninguém a condenou?" Ele sorri conforme ela levanta a cabeça.

Talvez esperasse ouvir uma repreensão da parte dele. Talvez achasse que ele também se afastaria dela. Não tenho certeza, mas sei de uma coisa: ela recebeu algo que não esperava. Recebeu uma promessa e uma ordem.

A promessa: "Eu também não a condeno" (JO 8:11).

A ordem: "Agora vá e abandone sua vida de pecado".

SEIS HORAS DE UMA SEXTA-FEIRA

Vá e abandone sua vida de pecado.
Jesus

Cristo [...] aponta para o pardal, o pássaro mais simples de sua época, e diz: "Não se vendem cinco pardais por duas moedinhas? Contudo, nenhum deles é esquecido por Deus [...] vocês valem mais do que muitos pardais!" (LC 12:6-7).

Deus se lembra dos pequenos pássaros do mundo. Nós nos lembramos das águias. Fazemos estátuas brônzeas de falcões. Nossos times recebem nomes relacionados a essas aves. Mas Deus presta atenção no pardal. Separa tempo para os filhos e nota os leprosos. Oferece uma segunda chance à mulher adúltera e faz um convite pessoal ao ladrão na cruz. Cristo tem predileção pelo sofrido e pelo fatigado.

APRENDA A COMPARTILHAR UM AMOR QUE VALE A PENA

Jesus Cura um Cego

Ao passar, Jesus viu um cego de nascença.

JOÃO 9:1

Este homem nunca viu um amanhecer. Não sabe diferenciar o roxo do rosa. Os discípulos culpam a árvore genealógica. "Mestre, quem pecou: este homem ou seus pais, para que ele nascesse cego?" (V. 2).

Nenhum dos dois, responde o homem-Deus. Sua condição vem desde o céu. A razão de o homem ter nascido sem visão? Foi "para que a obra de Deus se manifestasse na vida dele" (V. 3).

Isso é que é um papel ingrato. Escolhido para sofrer. Alguns cantam para a glória de Deus. Outros ensinam sobre a glória de Deus. Quem quer ser cego para a glória de Deus? O que é mais difícil: a condição em si ou a descoberta de que isso foi ideia de Deus?

A cura se mostra tão surpreendente quanto a causa. "[Jesus] cuspiu no chão, misturou terra com saliva e aplicou-a aos olhos do homem" (V. 6).

O mundo está repleto de pinturas do homem-Deus: nos braços de Maria, no jardim do Getsêmani, no cenáculo, na tumba escura. Jesus tocando. Jesus chorando, rindo, ensinando... mas nunca vi um quadro de Jesus cuspindo.

Cristo faz um ou dois movimentos com os lábios, enche a boca de saliva, traz a bolha para perto dos lábios e deixa que ela saia. Direto no chão. (Crianças, da próxima vez que mamãe disser que vocês não devem cuspir, mostrem essa passagem a ela.) Então se agacha, mexe numa poça de... sei lá, como você chamaria aquilo?

Massa santa? Terapia de cuspe? Solução salivar? Seja qual for o nome, ele coloca um punhado na mão e, então, com a calma de um pintor que cobre um buraco na parede com massa, Jesus coloca uma porção de barro milagroso nos olhos do homem. "Vá lavar-se no tanque de Siloé" (V. 7).

O pedinte vai apalpando até encontrar o caminho para o tanque, joga água no rosto sujo e tira o barro. O resultado é o primeiro capítulo de Gênesis, com exclusividade para ele. Luz onde havia trevas. Visão perfeita, vultos difusos se tornam seres humanos e João recebe o prêmio de Relato Bíblico Mais Sucinto quando escreve: "O homem [...] voltou vendo" (V. 7).

Que é isso, João! Ficou sem palavras? Que tal: "Ele voltou correndo e enxergando"? "Ele voltou dançando, vendo tudo"? "Deu altos berros, gritou e correu"?

O Salvador mora ao lado

Quando ninguém
mais lhe der atenção,
Jesus lhe dará
Jesus
as palavras da eternidade.

Lázaro Ressuscita dos Mortos

Se a Bíblia apresentasse uma lista de mortos famosos, Lázaro ocuparia as primeiras posições. Ele viveu em Betânia, uma aldeia modorrenta bem próxima de Jerusalém. Jesus passou bastante tempo ali. Talvez gostasse da comida de Marta ou da devoção de Maria. Uma coisa é certa: ele considerava Lázaro um amigo. A notícia da morte de Lázaro leva Jesus a dizer: "Nosso amigo Lázaro adormeceu, mas vou até lá para acordá-lo".

JOÃO 11:11.

E agora, quatro dias depois do funeral, Jesus chega chamando. Mas chamando literalmente: "Lázaro, venha para fora!". Dá para imaginar Lázaro ouvindo essas palavras? O Lázaro enviado aos céus. O Lázaro feliz da vida nos céus. Quatro dias imensuráveis. Naquele momento, ele já estava fazendo amizade com outros santos. O rei Davi lhe mostrou as harpas. Moisés o convidou para tomar chá com maná. Elias e Eliseu o levam para dar uma volta na carruagem de fogo. Daniel prometeu contar-lhe uma história bíblica. Ele está prestes a ouvi-la quando uma voz irrompe pela cidade celestial.

"Lázaro, venha para fora!"

Todo mundo conhece aquela voz. Ninguém fica pensando: "O que foi isso?". Os anjos param. Hostes de habitantes da cidade santa voltam-se na direção do rapaz de Betânia e alguém diz: "Parece que você vai voltar para cumprir outro turno".

Lázaro não questiona o chamado. Junto com o passaporte celestial vem um entendimento perfeito. Ele não faz objeção. Mas, se tivesse feito, quem o culparia? Seu corpo celestial não sabe o que é febre. Seu futuro não conhece o medo. Ele habita uma cidade onde não há cadeados, prisões nem Prozac. Sem pecado nem morte, pregadores, doutores e advogados estão livres para adorar. Ninguém culparia Lázaro se ele dissesse: "Será que preciso mesmo voltar?".

Mas ele não questiona a ordem. Ninguém o faz. As viagens de volta estavam acontecendo com frequência naquele período. A filha do chefe da sinagoga. O rapaz de Naim. Agora, Lázaro, de Betânia. Lázaro se volta na direção da porta de saída, raramente usada. Suponho que tenha sido a mesma que Jesus usou cerca de trinta anos antes dele. Com um aceno e uma piscadela, ele é reunido a seu corpo e acorda em cima de uma laje fria dentro de um túmulo escavado na pedra. A pedra da entrada fora movida, e Lázaro tenta mover-se também. Enrolado feito uma múmia, ele se senta ereto e sai da tumba com a graça do monstro de Frankenstein.

As pessoas olham e se maravilham.

Lemos o relato e podemos perguntar: "Por que Jesus o deixou morrer para depois chamá-lo de volta?".

Para mostrar quem manda no *show*. Para superar a carta do cemitério. Para mostrar a imensurável força daquele que dançou a dança dos tútsis em cima do pescoço do diabo, que encarou a morte de frente e disse: "Você chama isso de beco sem saída? Eu chamo de escada".

"Lázaro, venha para fora!"

A propósito, essas palavras foram apenas um aquecimento para o grande dia. Ele está preparando uma evacuação mundial de sepulturas. "Joe, venha para fora!" "Maria, venha para fora!" "Giuseppe, venha para fora!" "Jacó, venha para fora!" Sepultura após sepultura ficará vazia. O que aconteceu a Lázaro acontecerá a nós. A única diferença é que a reunião do nosso corpo com o espírito acontecerá no céu, não no Cemitério Memorial de Betânia.

Quando isso acontecer — quando nosso corpo terreno e perecível for transformado em corpo celestial que nunca morrerá —, então finalmente o texto bíblico se tornará verdade:

"A morte foi destruída pela vitória.
Onde está, ó morte, a sua vitória?
Onde está, ó morte, o seu aguilhão?"

1CORÍNTIOS 15:54-55

"E ele os curou"

é uma frase muito curta para descrever
aquilo que deve ter sido uma visão espantosa.

Dê asas à imaginação. Consegue ver a cena?

Consegue enxergar o marido cego vendo a esposa pela primeira vez?
Os olhos dele olhando os dela, cheios de lágrimas, como se ela fosse a rainha da manhã?

Visualize o homem que nunca andou, agora andando!
Sabia que ele não queria se sentar?
Sabia que ele correu, pulou e dançou com as crianças?

E a mulher surda que agora pode ouvir.
O que aconteceu quando ela ouviu seu filho dizer "mamãe" pela primeira vez?...

Posso imaginar um pai e uma mãe olhando
sem palavras para o grande Médico
enquanto seguram nos braços o bebê que foi curado.

Posso imaginar um leproso olhando maravilhado para aquele que levou embora seu pavor.

Obrigado!

Posso imaginar uma multidão de pessoas se atropelando. Querendo chegar mais perto. Não para pedir ou exigir alguma coisa, mas para dizer simplesmente "obrigado".

UM DIA NA VIDA DE JESUS

QUAL O TAMANHO DO SEU AMOR?

Grande o bastante para alcançar
o mundo inteiro.

Ao saírem de Jericó, uma grande multidão seguiu Jesus.
Dois cegos estavam sentados à beira do caminho e,
quando ouviram falar que Jesus estava passando, puseram-se a gritar:
"Senhor, Filho de Davi, tem misericórdia de nós!".

MATEUS 20:29-30

Dois Homens Cegos Imploram pela Cura

"A MULTIDÃO OS REPREENDEU para que ficassem quietos, mas eles gritavam ainda mais: 'Senhor, Filho de Davi, tem misericórdia de nós!'

"Jesus, parando, chamou-os e perguntou-lhes: 'O que vocês querem que eu lhes faça?' Responderam eles: 'Senhor, queremos que se abram os nossos olhos'.

Jesus [...] tocou nos olhos deles. Imediatamente eles recuperaram a visão e o seguiram" (MT 20:31-34).

Mateus não nos diz por que a multidão não queria deixar que os cegos se aproximassem de Jesus — mas é fácil imaginar a razão. Queriam protegê-lo. Ele está no meio de uma missão, uma missão crucial. O futuro de Israel está em jogo. Ele é um homem importante com uma missão muito séria. Não tem tempo para indigentes sentados à beira da estrada.

Além disso, olhe para eles. Sujos. Barulhentos. Antipáticos. Inoportunos. Será que não têm senso de civilidade? Não possuem nenhuma dignidade? Essas coisas devem ser tratadas de maneira apropriada. Primeiro converse com Natanael, que vai falar com João, que vai falar com Pedro, que, então, decidirá se o assunto é digno ou não da atenção do Mestre.

Mas, a despeito de sua sinceridade, os discípulos estavam errados.

Sabe, aos olhos daqueles que estavam mais perto de Jesus, aqueles homens cegos não tinham direito de atrapalhar o Mestre. Afinal de contas, ele estava a caminho de Jerusalém. O Filho do homem iria estabelecer seu reino. Não tem tempo para ouvir o pedido de mendigos cegos à beira da estrada.

Portanto, as pessoas advertiram os cegos de que ficassem quietos.

Mas que implicância daqueles cegos. Olhem o jeito como estavam vestidos. Vejam seus modos. Prestem atenção como clamam por ajuda. Jesus tem coisas mais importantes para fazer do que ser perturbado por pessoas tão insignificantes.

Cristo pensava de outra maneira. "Jesus teve compaixão deles e tocou nos olhos deles. Imediatamente eles recuperaram a visão."

Jesus lhes dá ouvidos, apesar dos clamores. E, dentre todas aquelas pessoas, os dois cegos são os únicos que realmente enxergam Jesus.

Alguma coisa disse àqueles dois cegos que Deus está mais preocupado com o coração correto do que com as roupas ou o procedimento corretos. De alguma maneira eles sabiam que aquilo que lhes faltava de educação era compensado por sua motivação, de modo que gritaram com toda a força. E foram ouvidos.

Deus sempre ouve aqueles que o buscam.

"Venham a mim, todos os que estão cansados e sobrecarregados, e eu lhes darei descanso."

MATEUS 11:28

"VENHAM A MIM"... O convite é para ir até ele. *Por que ele?*
Ele oferece o convite na condição de um rabi paupérrimo que vive numa nação oprimida.
Não tem cargo político, nenhuma ligação com as autoridades de Roma.
Não escreveu um livro de sucesso nem tem diploma.
Contudo, ele ousa olhar para a face enrugada de fazendeiros e para o rosto cansado de donas de casa e lhes oferece descanso. Contempla o olhar desiludido de um ou dois pregadores de Jerusalém. Vislumbra o olhar cínico de um banqueiro e os olhos famintos de um garçom e faz esta promessa paradoxal: "Tomem sobre vocês o meu jugo e aprendam de mim, pois sou manso e humilde de coração, e vocês encontrarão descanso para as suas almas" (MT 11:29).
As pessoas vieram. Vieram dos becos e também dos condomínios empresariais de sua época.
Trouxeram-lhe os fardos de sua existência e ele lhes deu não uma religião,
não uma doutrina, não um sistema, mas descanso.
Por causa disso, elas o chamaram de Senhor.
Por causa disso, elas o chamaram de Salvador.

Irado no Templo

QUANDO ENTROU NA CIDADE montado em um jumento, Jesus "dirigiu-se ao templo. Observou tudo à sua volta e, como já era tarde, foi para Betânia com os Doze" (MC 11:11).

Percebeu uma coisa? O primeiro lugar aonde Jesus foi ao chegar a Jerusalém foi o templo. Ele acabara de ser recebido por uma multidão nas ruas e fora tratado como um rei. Era domingo, o primeiro dia da semana da Páscoa. Centenas de milhares de pessoas se espremiam nas ruas estreitas de pedra. Rios de peregrinos inundavam o lugar. Jesus abriu caminho pelo mar de gente pouco antes do anoitecer. Caminhou pela área do templo, deu uma olhada e saiu.

Quer saber o que ele viu? Então leia o que ele fez na segunda-feira, o dia seguinte, quando retornou.

Jesus entrou no templo e ali começou a expulsar os que estavam comprando e vendendo. Derrubou as mesas dos cambistas e as cadeiras dos que vendiam pombas e não permitiu que ninguém carregasse mercadorias pelo templo. E os ensinava, dizendo: "Não está escrito: 'A minha casa será chamada casa de oração para todos os povos'? Mas vocês fizeram dela um 'covil de ladrões'" (MC 11:15-17).

O que ele viu? Mascates. Mercadores da fé. O que acendeu o fogo debaixo da grelha de Jesus? Qual foi seu primeiro pensamento na segunda-feira? As pessoas do templo faziam comércio da fé.

Era a semana da Páscoa. A Páscoa era o ponto alto do calendário judaico. Pessoas vinham de todas as regiões e de muitos países para participar da celebração. Depois de chegar, elas precisavam cumprir duas exigências.

PRIMEIRO, um sacrifício animal, geralmente uma pomba. A pomba precisava ser perfeita, sem qualquer defeito. O animal podia ser trazido de qualquer lugar, mas havia uma enorme probabilidade de que o sacrifício fosse considerado insuficiente pelas autoridades do templo caso fosse trazido de outro lugar. Assim, com a desculpa de manter o sacrifício puro, os vendedores de pombas vendiam pombas — ao preço que queriam.

SEGUNDO, as pessoas precisavam pagar uma taxa, o imposto do templo. Era uma taxa anual. Durante a Páscoa, a taxa precisava ser convertida em moeda local. Sabendo que muitos estrangeiros estariam em Jerusalém para pagar o imposto, cambistas convenientemente montavam barracas e se ofereciam para trocar o dinheiro estrangeiro pela moeda local — mediante a cobrança de uma pequena taxa, é claro.

Não é difícil ver o que irritou Jesus. Os peregrinos viajavam vários dias para ver Deus, para testemunhar o santo, para adorar sua Majestade. Mas, antes de serem levados à presença de Deus, passavam pela "limpeza" promovida por aquelas pessoas. Havia uma enorme diferença entre o que era prometido e o que era entregue...

"Basta. Cansei de tudo isso" era o que se lia na face do Messias. Foi então que ele se enfureceu. Pombas voaram e mesas viraram. Pessoas correram e mercadores fugiram.

Não foi um ato impulsivo. Não foi um ataque de raiva. Foi um ato deliberado que transmitiu uma mensagem intencional. Jesus vira os cambistas no dia anterior. Foi dormir com a imagem daquele corredor de gente e dos camelôs. Quando acordou na manhã seguinte, ciente de que seus dias estavam chegando ao fim, optou por fazer uma declaração: "Vocês tiram vantagem do meu povo e me levaram a reagir diante disso". Deus jamais considerará inocentes aqueles que exploram o privilégio de adorar.

Jantar na Casa de Simão

UM GRUPO DE AMIGOS cercava Jesus. Estavam à mesa. A cidade era Betânia e a casa era a de Simão.

Ele era conhecido como Simão, o leproso. Mas não era mais. Agora, era apenas Simão. Não sabemos quando Jesus o curou. Mas sabemos com certeza como ele era antes de ser curado por Jesus. Ombros caídos. Mão sem dedos. Braço cheio de feridas e costas infeccionadas, envolvidas em trapos. Um lenço surrado esconde seu rosto, com exceção de dois olhos brancos e penetrantes.

Mas isso foi antes do toque de Jesus. Será que Simão era aquele que Jesus curou depois do Sermão do Monte? Seria ele o único dentre os dez que voltou para agradecer? Foi um dos quatro mil que Jesus ajudou em Betsaida? Ou era um dentre as miríades de pessoas que os autores dos evangelhos não registraram?

Não sabemos. Mas temos certeza de que ele recebeu Jesus e os discípulos para jantar...

Simão não se esqueceu do que Jesus fizera. Não poderia esquecer. Onde antes havia apenas um toco, hoje existe um dedo que sua filha pode segurar. Onde havia feridas supurantes, hoje há pele que sua esposa pode tocar. E onde havia longas horas solitárias em quarentena, há agora horas felizes como esta — uma casa cheia de amigos, uma mesa cheia de comida.

Não, Simão não se esqueceu. Simão sabia como era encarar a morte de frente. Sabia o que era não ter uma casa para chamar de sua e sabia o que era ser incompreendido. Queria que Jesus soubesse que, caso precisasse de uma refeição e de um lugar para recostar a cabeça, havia uma casa em Betânia à qual poderia ir.

Maria Derrama Perfume sobre Jesus

"Chegou a hora", disse ela consigo.

Não foi um ato de impulso. Ela chegou à residência de Simão com o perfume que trouxera de casa. Não foi um gesto de momento. Mas foi extravagante. O preço do perfume equivalia ao salário de um ano. Talvez fosse a única coisa de valor que ela possuía. Não era uma coisa lógica a fazer, mas desde quando o amor é movido pela lógica?...

Maria aproximou-se por trás de Jesus e ficou com o jarro na mão. Depois de alguns instantes, toda boca ficou calada e todo olho ficou arregalado, no momento em que as pessoas viram os dedos nervosos dela removerem a tampa ornamentada.

Somente Jesus não se apercebeu da presença dela. Assim que ele notou que todos olhavam para algo atrás dele, ela começou a derramar o perfume. Sobre a cabeça dele. Sobre seus ombros. Por suas costas. Ela teria derramado de si mesma sobre ele, se pudesse fazê-lo.

A fragrância se espalhou pela sala. Os odores de cordeiro assado e ervas se dissiparam diante do aroma doce daquele bálsamo.

"Por onde for", disse o gesto, "sinta o aroma e lembre-se de quem muito lhe quer bem".

Jesus

Sobre a pele dele, a fragrância da fé. Em suas vestes, o bálsamo da crença. Até mesmo no momento em que os soldados dividiam suas roupas, o gesto daquela mulher levou perfume a um cemitério.

Os outros discípulos zombaram de sua extravagância. Consideraram-na uma tolice. Que ironia! Jesus os salvara de um naufrágio num mar tempestuoso. Ele os havia capacitado a curar e pregar. Trouxera foco a suas vidas confusas. Eles, os destinatários de um amor desmedido, puniram a generosidade daquela mulher.

"Por que este desperdício? Este perfume poderia ser vendido por alto preço, e o dinheiro dado aos pobres", reclamaram.

Preste atenção na defesa imediata que Jesus fez de Maria. "Por que vocês estão perturbando essa mulher? Ela praticou uma boa ação para comigo" (MT 26:10).

A mensagem de Jesus é tão poderosa hoje como foi então. Não deixe de notá-la: "Existe a hora certa para o amor que se arrisca. Há o momento adequado para gestos extravagantes. Existe o momento de derramar afeto sobre a pessoa a quem se ama. Quando esse momento chegar, tire proveito dele, não o perca".

Quando os anjos silenciaram

Ela envolveu os anjos e fascinou os pastores nos campos de Belém.

Jesus a irradia.

João a contemplou.

Pedro a testemunhou no monte da Transfiguração.

Cristo voltará entronizado nela.

O céu será iluminado por ela.

Um vislumbre, um bocado, uma amostra,
e sua fé nunca mais será a mesma...

Glória.

A glória de Deus.

Todo ato celestial revela a glória de Deus. Todo ato de Jesus também a revela.

GLÓRIA!

Misericórdia
É O MAIS PROFUNDO ATO
de bondade.

Estava sendo servido o jantar, e o Diabo já havia induzido Judas Iscariotes, filho de Simão, a trair Jesus. Jesus sabia que o Pai havia colocado todas as coisas debaixo do seu poder, e que viera de Deus e estava voltando para Deus; assim, levantou-se da mesa, tirou sua capa e colocou uma toalha em volta da cintura [...] e começou a lavar os pés dos seus discípulos, enxugando-os com a toalha que estava em sua cintura.

JOÃO 13:2-5

Jesus Lava os Pés dos Discípulos

O DIA É LONGO. Jerusalém está cheia de convidados para a Páscoa, e a maioria clama por um olhar do Mestre. O sol de primavera é quente. As ruas estão secas. Os discípulos estão bem longe de casa. Um punhado de água fresca seria refrescante.

Os discípulos entram na sala, um a um, e assumem seus lugares em torno da mesa. Na parede há uma toalha pendurada e, no chão, um jarro e uma bacia. Qualquer um dos discípulos poderia ter-se oferecido como voluntário para a tarefa, mas nenhum deles o fez.

Depois de alguns instantes, Jesus se levanta e remove sua roupa de cima. Enrola um cinto de servo na cintura, pega a bacia e se ajoelha diante de um dos discípulos. Desata uma sandália, ergue gentilmente aquele pé e o coloca na bacia, cobrindo-o com água, e começa a banhá-lo. Um a um, um pé encardido atrás do outro, Jesus faz seu trabalho diante de todos.

Nos dias de Jesus, a lavagem dos pés era uma tarefa reservada não apenas a servos, mas aos servos mais humildes... O servo dos servos era quem deveria se ajoelhar com a toalha e a bacia.

Nessa ocasião, aquele que usava a toalha e a bacia era o Rei do universo. Mãos que moldaram estrelas agora retiram sujeira. Dedos que formaram montanhas agora massageiam dedos. Aquele diante de quem todas as nações um dia se prostrarão agora se ajoelha diante de seus discípulos. Horas antes de sua morte, a preocupação de Jesus é singular. Ele quer que seus discípulos saibam quanto ele os ama...

Você pode ter certeza de que Jesus sabe o futuro desses pés que está lavando. Aqueles 24 pés não passarão o próximo dia seguindo seu Mestre, defendendo sua causa. Aqueles pés vão correr atrás de abrigo diante do menor brilho de uma espada romana. Apenas um par de pés não vai abandoná-lo no jardim... Judas não vai sequer chegar tão longe! Ele abandonará Jesus naquela mesma noite, à mesa...

Que momento arrebatador aquele em que Jesus silenciosamente ergue os pés de seu traidor e os lava na bacia.

Jesus sabe o que aqueles homens estão prestes a fazer. Ele sabe que estão prestes a realizar o ato mais vil de sua vida. Pela manhã, abaixarão a cabeça de vergonha e olharão para seus pés com repugnância. O desejo dele é que, ao fazerem isso, se lembrem de como os joelhos dele se dobraram diante de cada um para lavar seus pés...

Ele lhes perdoou os pecados antes mesmo que os cometessem. Ofereceu misericórdia antes mesmo de a buscarem.

Simplesmente como Jesus

Contente por ser conhecido como carpinteiro.

FELIZ POR SER CONFUNDIDO COM O JARDINEIRO.

ELE SERVIU SEUS SEGUIDORES LAVANDO-LHES OS PÉS.

ELE NOS SERVE AO FAZER O MESMO.

A cada manhã ele nos concede beleza.

A cada domingo ele nos chama a sua mesa.

A cada momento ele está presente em nosso coração.

APRENDA A COMPARTILHAR UM AMOR QUE VALE A PENA

SUA MORTE

Jesus...

A mão que sustentou o universo

recebeu o cravo de um soldado.

DEUS NUNCA FOI TÃO SOBERANO

como nos detalhes

da morte de seu Filho.

Os Sofrimentos de seu Coração Partido

VENHA COMIGO, POR UM MOMENTO, para testemunhar aquela que talvez tenha sido a noite mais escura da história. A cena é bastante simples; você a reconhecerá rapidamente. Um bosque de oliveiras retorcidas. Grandes pedras espalhadas pelo chão. Uma cerca de pedra bem baixa. Uma noite escura, muito escura.

Agora, veja a cena. Olhe com atenção por entre a folhagem. Vê aquela pessoa? Aquela figura solitária? O que ela está fazendo? Está estirada no chão. O rosto está sujo de poeira e lágrimas. Os punhos golpeiam o chão duro. Os olhos estão arregalados pelo estupor do medo. O cabelo está emaranhado pelo suor salgado. Aquilo na sua testa seria sangue?

É Jesus. Jesus no jardim do Getsêmani.

Talvez você já tenha visto o retrato clássico de Cristo no jardim. Ajoelhado perto de uma grande pedra. Vestes brancas como a neve. Mãos tranquilas unidas em oração. Olhar de serenidade no rosto. Um halo sobre a cabeça. Uma luz, como a de um refletor, descendo do céu, iluminando-lhe o cabelo castanho-claro.

Bem, não sou artista, mas uma coisa posso lhe dizer. O homem que fez aquela pintura não se baseou no evangelho de Marcos. Quando escreveu sobre a noite dolorosa, ele usou frases como: "Começou a ficar aflito e angustiado", "A minha alma está profundamente triste" e "Indo um pouco mais adiante, prostrou-se".

Por acaso isso se parece com a imagem de um Jesus pio, descansando na palma da mão de Deus? Dificilmente. Marcos usou tinta preta para descrever essa cena. Vemos um Jesus agonizante, tenso e em conflito. Vemos "um homem de dores" (IS 53:3).

Vemos um homem brigando contra o medo, lutando com comprometimentos e desejoso de obter alívio.

Vemos Jesus na obscuridade de um coração partido.

Mais tarde, o autor de Hebreus escreveria: "Durante os seus dias de vida na terra, Jesus ofereceu orações e súplicas, em alta voz e com lágrimas, àquele que o podia salvar da morte" (HB 5:7).

Puxa, que imagem! Jesus sente dor. Jesus está com medo. Jesus está recoberto não de santidade, mas de humanidade.

Da próxima vez que a obscuridade o encontrar, seria bom relembrar de Jesus no jardim. Da próxima vez que achar que ninguém o entende, releia o capítulo 14 de Marcos. Da próxima vez que a autopiedade convencê-lo de que ninguém se importa com você, faça uma visita ao Getsêmani. E da próxima vez que ficar na dúvida se Deus realmente percebe a dor que predomina neste planeta poeirento, ouça-o orando por entre as árvores retorcidas.

Da próxima vez que for chamado a sofrer, preste atenção. Talvez seja a situação na qual você chegará mais perto de Deus. Olhe com cuidado. É bem possível que a mão que se estende para conduzi-lo à saída da obscuridade seja uma mão perfurada.

Jesus É Traído por Judas

O QUE VOCÊ FAZ quando é traído? Vai embora? Fica irritado? Dá o troco? É preciso lidar com a traição de algum modo. Vejamos como Jesus lidou com ela.

É preciso notar como Jesus viu Judas. "Jesus perguntou: 'Amigo, o que o traz?'" (MT 26:50).

De todos os nomes que eu escolheria para Judas, "amigo" não seria um deles. O que Judas fez a Jesus foi terrivelmente injusto. Não há indicação de que Jesus tenha maltratado Judas em alguma ocasião. Nenhum indício de que Judas tenha sido rejeitado ou deixado de lado. Durante a última ceia, quando Jesus disse aos discípulos que seu traidor estava sentado à mesa, ninguém se virou para a pessoa ao lado e sussurrou: "É Judas. Jesus nos disse que ele ia fazer isso".

Eles não sussurraram porque Jesus nunca disse isso. Ele já sabia. Sabia o que Judas faria, mas tratou o traidor como se ele fosse fiel.

A injustiça fica ainda mais clara quando se considera que a traição foi ideia de Judas. Os líderes religiosos não o procuraram; foi Judas quem os procurou. "E [Judas] lhes perguntou: 'O que me darão se eu o entregar a vocês?'" (MT 26:15). A traição teria sido mais palatável se Judas tivesse recebido alguma proposta dos líderes, mas não foi assim. Foi ele quem lhes fez uma proposta.

E o método de Judas... mais uma vez, por que ele usou um beijo? (MT 26:48-49).

E por que tinha de chamá-lo de "Mestre"? (MT 26:49). Esse era um título de respeito. Que incongruência entre suas palavras, obras e ações — eu não teria chamado Judas de "amigo".

Mas Foi Exatamente assim que Jesus o Chamou

Por quê? Jesus podia ver algo que nós não podemos...

Jesus sabia que Judas fora seduzido por um adversário poderoso. Tinha consciência da astúcia das palavras de Satanás (ele mesmo já as havia escutado). Sabia como foi difícil para Judas fazer o que era certo.

Ele não justificou o que Judas fez. Não minimizou os fatos. Também não relevou sua escolha. Pelo contrário, olhou bem nos olhos do traidor e tentou entender.

Enquanto você odiar seu inimigo, a porta da prisão fica fechada e o prisioneiro, detido. Mas, quando você tenta entender e liberta seu inimigo do ódio que sente por ele, então o prisioneiro é libertado; e o prisioneiro é você.

QUANDO OS ANJOS SILENCIARAM

João nos diz que "Judas foi para o olival, levando consigo um destacamento de soldados e alguns guardas enviados pelos chefes dos sacerdotes e fariseus" (JO 18:3)... ❈ Sempre tive a impressão de que Jesus fora preso por um punhado de soldados. Estava errado. Foram despachados no mínimo duzentos soldados para lidar com um único carpinteiro e seus onze amigos! ❈ Também estavam presentes "alguns guardas". Era a polícia do templo. Eram designados para o Lugar Santíssimo durante a época mais agitada do ano. Provavelmente estavam entre os melhores de Israel. ❈ Judas também estava lá. Era alguém de dentro. Satanás não apenas havia recrutado romanos e judeus, mas também se infiltrou no gabinete. O inferno devia estar em festa. Não havia como Jesus escapar. Satanás bloqueara todas as saídas. Seus assistentes anteciparam todos os movimentos, exceto um. ❈ Jesus não tinha intenção de correr. Não planejava fugir. Não viera ao jardim para uma retirada. O que encontraram entre as árvores não foi um covarde; encontraram um vencedor.

NO DIA ANTERIOR À CRUCIFICAÇÃO,

Jesus tomou sua decisão.

PREFERIA

ir ao inferno por você

A IR AO CÉU SEM VOCÊ.

PEDRO NEGA CONHECER JESUS

Pedro já se vangloriava: "Ainda que todos te abandonem, eu nunca te abandonarei!" (MT 26:33). Mas ele o abandonou...

Levantou-se e saiu do esconderijo; seguiu o barulho até que viu um júri reunido no pátio de Caifás, iluminado por tochas.

Parou perto de uma fogueira e aqueceu as mãos...

Outras pessoas perto do fogo o reconheceram. "Você também estava com Jesus, o galileu", disseram, desafiando-o. "Este homem estava com Jesus, o Nazareno". As pessoas disseram isso três vezes e, em todas elas, Pedro negou. E Jesus ouviu tudo.

Por favor, entenda que o personagem principal desse drama da negação não é Pedro, mas Jesus. Jesus, que conhece o coração de todas as pessoas, sabia da negação de seu amigo. Por três vezes o sal da negação de Pedro atingiu as feridas do Messias.

Como posso ter certeza de que Jesus sabia? Por causa do que ele fez. Então "o Senhor voltou-se e olhou diretamente para Pedro" (LC 22:61). Quando o galo cantou, Jesus se virou. Seus olhos procuraram Pedro e o encontraram. Naquele momento, não havia soldados, acusadores nem sacerdotes. Naquele momento antes do amanhecer em Jerusalém havia apenas duas pessoas: Jesus e Pedro.

Pedro jamais esqueceria aquele olhar.

O Julgamento Diante de Pilatos

O julgamento mais famoso da história está prestes a começar.

O JULGAMENTO É CURTO e aristocrático, com olhares rápidos e vestes caras. Seu cabelo grisalho está cortado e o rosto, barbeado. Está apreensivo, nervoso por não ter saída, senão tomar uma decisão. Dois soldados o conduzem pelas escadas de pedra da fortaleza até um pátio aberto. Feixes de luz solar matutina se espalham pelo chão de pedra.

Assim que entra, soldados sírios usando togas curtas se perfilam, com as lanças eretas e o olhar diretamente à frente. O piso do local onde estão é um mosaico de pedras lisas e largas de cor marrom. No chão estão entalhados os jogos que os soldados fazem enquanto esperam a sentença do prisioneiro.

Mas, na presença do procurador, eles não jogam.

Um trono é colocado numa plataforma cinco degraus acima do piso. O magistrado sobe e assume seu lugar. O acusado é trazido à sala e colocado abaixo dele. Um grupo de religiosos paramentados se dirige a um lado da sala e ali permanece, em pé.

Pilatos olha para aquela figura solitária...

— Você é o rei dos judeus?

Pela primeira vez, Jesus ergue os olhos. Ele não levanta a cabeça; apenas ergue os olhos. Observa o procurador com a testa abaixada. Pilatos se surpreende com o tom da voz de Jesus.

— Tu o dizes.

Antes que Pilatos pudesse responder, o bando de líderes judeus, postado no canto da sala, zomba do acusado.

— Vê? Ele não tem respeito.

— Ele provoca o povo!

— Ele se diz rei!

Pilatos não lhes dá ouvidos. São palavras deles. Nenhuma defesa. Nenhuma explicação. Nenhum pânico. O galileu está olhando para o chão de novo.

Há algo naquele rabi do interior que chama a atenção de Pilatos. Ele é diferente daquelas pessoas de coração mole que estão do lado de fora. Ele não é como os líderes com barba até o peito que, num momento, se gabam de um Deus soberano e, no seguinte, imploram por menos impostos. Os olhos dele não são flamejantes como os dos zelotes, estorvos para a *Pax Romana* que o procurador tenta manter. Ele é diferente, esse Messias interiorano...

Pilatos quer libertar Jesus. "Dê-me apenas uma razão para isso", pensa ele, quase em voz alta. "Assim posso libertá-lo".

Seus pensamentos são interrompidos por um toque no ombro. Um mensageiro se inclina e sussurra. Estranho. A mulher de Pilatos enviou-lhe uma mensagem para que não se envolvesse no caso. Era algo relacionado a um sonho que tivera.

Pilatos retorna a seu trono, senta-se e olha para Jesus. "Será que até os deuses estão do seu lado?", declara ele, sem nenhuma explicação.

Ele já havia sentado naquele trono antes. Era uma cadeira curul, azul-cobalto, com pernas grossas e ornamentadas. O trono tradicional das decisões. Ao sentar-se nela, Pilatos transforma qualquer sala ou rua num tribunal. É dali que ele profere decisões.

Quantas vezes ele se sentou ali? Quantas histórias ouviu? Quantos apelos recebeu? Quantos olhos arregalados olharam para ele, implorando misericórdia, suplicando por absolvição?

Mas os olhos desse nazareno são calmos, quietos. Não gritam. Não encaram. Pilatos os analisa em busca de ansiedade... de raiva. Mas não as entrevê. O que encontra o faz mexer-se novamente.

"Ele não está irritado comigo. Não tem medo... parece compreender."

Pilatos está correto em sua observação. Jesus não tem medo. Ele não está irado. Não está à beira do pânico, pois não está surpreso. Jesus sabe a hora e sabe que sua hora chegou.

Pilatos está correto em sua curiosidade. Se Jesus é um líder, onde estão seus seguidores? Se ele é o Messias, o que planeja fazer? Se ele é um mestre, por que os líderes religiosos ficaram tão irritados com ele?

Pilatos também está correto em sua pergunta: "Que farei então com Jesus, chamado Cristo?" (MT 27:22).

Pode ser que, como Pilatos, você também esteja curioso em relação a essa pessoa chamada Jesus. Tal como Pilatos, você está perplexo diante de suas declarações e tocado por suas paixões...

O que se faz com um homem que se diz Salvador, mas que, ainda assim, condena sistemas? O que fazer com um homem que sabe o local e a hora de sua morte, mas, mesmo assim, se encaminha para lá?

A pergunta de Pilatos também é pertinente a você. "Que farei então com Jesus, chamado Cristo?"

Você tem duas opções.

Você pode rejeitá-lo. Essa é uma opção. Como muitos fizeram, você pode achar que a ideia de Deus tornar-se um carpinteiro é bizarra demais — e ir embora.

Ou você pode aceitá-lo. Pode caminhar com ele. Pode ouvir sua voz no meio de centenas de outras e segui-lo.

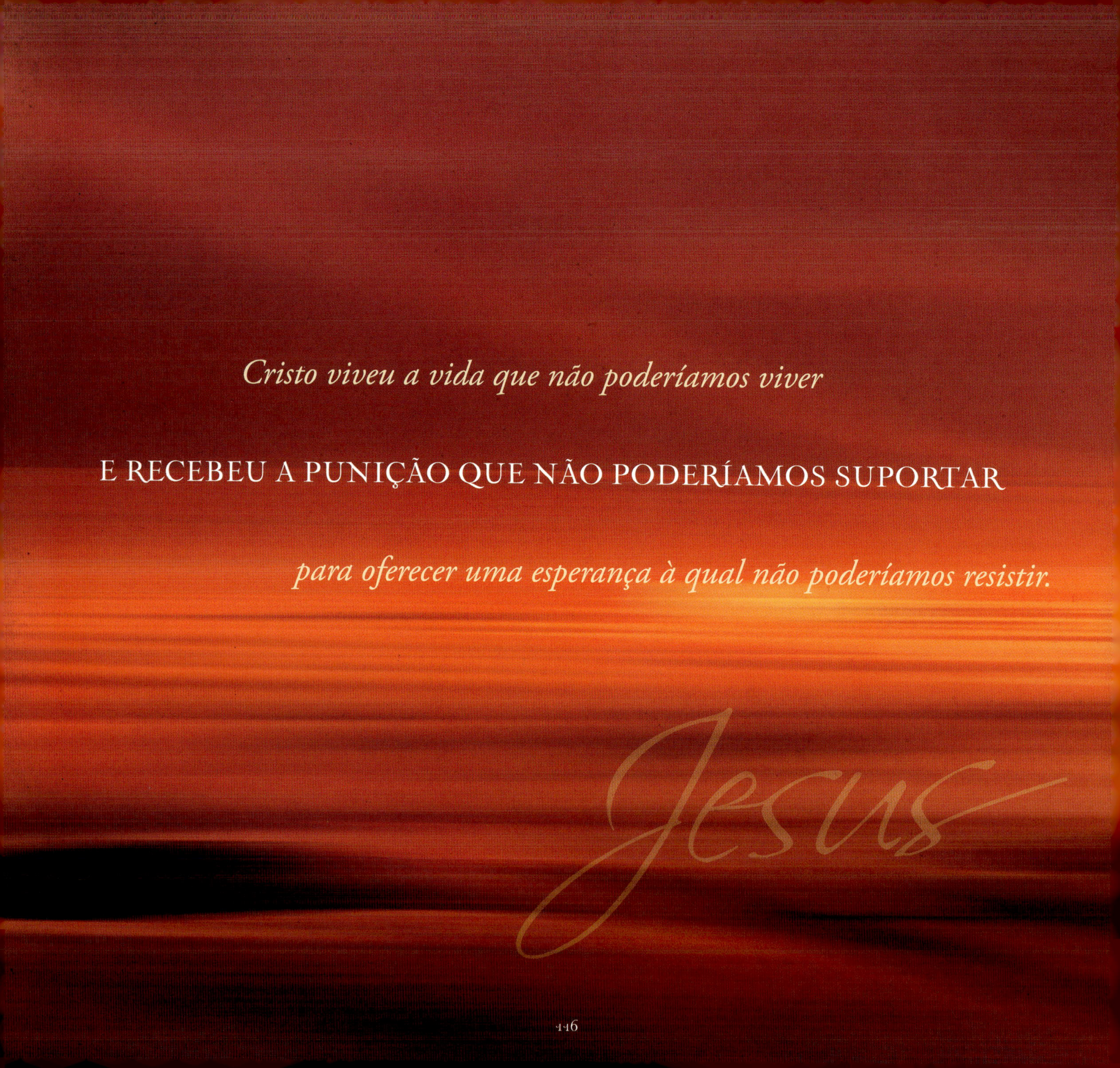

Cristo viveu a vida que não poderíamos viver

E RECEBEU A PUNIÇÃO QUE NÃO PODERÍAMOS SUPORTAR

para oferecer uma esperança à qual não poderíamos resistir.

Jesus

POR QUÊ POR QUÊ?

Jesus ficou suficientemente irado para purificar o templo,

suficientemente faminto para comer cereal cru,

suficientemente atormentado para chorar em público,

gostava tanto de alegria a ponto de ser chamado de bêbado,

era simpático o bastante para atrair crianças,

ficou cansado o suficiente para dormir num barco castigado por uma tempestade,

foi pobre o suficiente para dormir no chão e pedir uma moeda emprestada para ilustrar um sermão,

foi suficientemente radical para ser expulso da cidade,

suficientemente responsável para preocupar-se com sua mãe,

suficientemente tentado para saber qual era o cheiro de Satanás,

e ficou assustado o suficiente para transpirar sangue.

POR QUÊ? Por que o Filho mais ilustre do céu suportaria a pior dor da terra? Para que você soubesse que "Jesus pode ajudar os que são tentados, pois ele mesmo foi tentado e sofreu" (HB 2:18, NTLH).

Independentemente do que você esteja sentindo, ele sabe como você se sente.

O SALVADOR MORA AO LADO

Ele, que pode escavar o Grand Canyon
COM O DEDO MÍNIMO,
ACHA QUE VALE A PENA MORRER POR VOCÊ
num madeiro romano.

Os Soldados Queriam o Sangue de Jesus

Os soldados? *Eles queriam sangue.*

Portanto, açoitaram Jesus. O chicote do legionário consistia em tiras de couro com bolas de chumbo em cada ponta. Seu objetivo era singular: bater no acusado até que ele ficasse a um centímetro da morte e, então, parar. Eram permitidas 39 chibatadas, mas raramente essa quantidade era necessária. Um centurião monitorava o estado do prisioneiro. Não há dúvida de que Jesus estava à beira da morte quando suas mãos foram desamarradas e ele caiu bruscamente no chão.

O açoitamento era o primeiro ato dos soldados.

A crucificação era o terceiro. (Não, eu não pulei o segundo. Chegaremos lá daqui a pouco.) Embora suas costas estivessem listradas de feridas, os soldados colocaram a travessa da cruz nos ombros de Jesus, fizeram que ele andasse até o lugar da Caveira e o executaram.

Não culpamos os soldados por esses dois atos. Afinal de contas, eles estavam simplesmente seguindo ordens. Mas o que é difícil entender é o que eles fizeram no período compreendido entre esses dois eventos. Veja a descrição de Mateus:

"Então Pilatos [...] mandou açoitar Jesus e o entregou para ser crucificado. Então, os soldados do governador levaram Jesus ao Pretório e reuniram toda a tropa ao seu redor. Tiraram-lhe as vestes e puseram nele um manto vermelho; fizeram uma coroa de espinhos e a colocaram em sua cabeça. Puseram uma vara em sua mão direita e, ajoelhando-se diante dele, zombavam: 'Salve, rei dos judeus!' Cuspiram nele e, tirando-lhe a vara, batiam-lhe com ela na cabeça. Depois de terem zombado dele, tiraram-lhe o manto e vestiram-lhe suas próprias roupas. Então o levaram para crucificá-lo" (MT 27:26-31).

A tarefa dos soldados era simples: levar o Nazareno à colina e matá-lo. Mas eles tinham outra coisa em mente. Queriam se divertir um pouco mais antes de cumprir a missão. Soldados fortes, descansados e armados cercaram um carpinteiro galileu exausto e quase morto e o espancaram. O castigo foi uma ordem. A crucificação foi uma ordem. Mas quem poderia encontrar prazer em cuspir num homem semimorto?

O ato de cuspir não tinha o propósito de ferir o corpo — não pode fazê-lo. Cuspir tinha o propósito de degradar a alma, e pode fazê-lo. O que os soldados estavam fazendo? Não estavam se promovendo à custa de outra pessoa? Sentiam-se grandes ao fazer Cristo parecer pequeno.

Permita que o cuspe dos soldados represente a imundície em nosso coração. Então observe o que Jesus faz com nossa sujeira. Ele a leva até a cruz.

Por meio do profeta, ele disse: "Não escondi a face da zombaria e dos cuspes" (IS 50:6). Misturada com o sangue e o suor estava a essência de nosso pecado.

Deus poderia ter feito diferente. No plano de Deus, vinho foi oferecido para sua garganta; por que não ofereceram uma toalha para seu rosto? Simão carregou a cruz de Jesus, mas não limpou a face de Jesus. Os anjos estavam a apenas uma oração de distância. Não poderiam ter limpado os cuspes?

Sim, poderiam, mas Jesus não ordenou que o fizessem. Por alguma razão, aquele que escolheu os cravos também escolheu a saliva. Junto com a lança e a esponja do homem, ele suportou o cuspe do homem.

Aquele que não conheceu pecado assumiu a face de um pecador, de modo que nós, pecadores, pudéssemos assumir a face de um santo.

Ele escolheu os cravos

A Coroa de Espinhos

UM SOLDADO ANÔNIMO pegou ramos — maduros o suficiente para ter espinhos, flexíveis o suficiente para se curvarem — e os arrumou de forma a imitar uma coroa de zombaria, uma coroa de espinhos.

Nas Escrituras, os espinhos simbolizam não o pecado, mas a consequência do pecado. Lembra-se do Éden? Depois de Adão e Eva terem pecado, Deus amaldiçoou a terra: "Maldita é a terra por sua causa [...]. Ela lhe dará espinhos e ervas daninhas, e você terá que alimentar-se das plantas do campo" (GN 3:17-18). O mato na terra é resultado do pecado no coração.

O fruto do pecado são os espinhos — afiados, pontudos e cortantes.

Dou destaque para a "ponta" dos espinhos para sugerir um ponto que talvez você nunca tenha considerado: se o fruto do pecado são os espinhos, a coroa de espinhos na fronte de Cristo não seria uma imagem do fruto do nosso pecado que traspassou seu coração?

Qual é o fruto do pecado? Siga pelo caminho florido da humanidade e sinta alguns espinhos. Vergonha. Medo. Desgraça. Desânimo. Ansiedade. Nosso coração já não tropeçou nesses arbustos?

O coração de Jesus, porém, jamais passou por isso. Ele nunca foi cortado pelos espinhos do pecado. O que eu e você enfrentamos diariamente, ele jamais conheceu. Ansiedade? Ele nunca se preocupou! Culpa? Ele nunca foi culpado de nada! Medo? Ele nunca saiu da presença de Deus! Jesus nunca conheceu os frutos do pecado... até que se tornou pecado por nós.

Ele escolheu os cravos

SIMÃO DE CIRENE CARREGA A CRUZ DE JESUS

Certo homem de Cirene, chamado Simão, pai de Alexandre e de Rufo, passava por ali, chegando do campo. Eles o forçaram a carregar a cruz.

MARCOS 15:21

SIMÃO RECLAMA baixinho. Sua paciência é tão pequena quanto o espaço livre nas ruas de Jerusalém. Tinha esperanças de ter uma Páscoa tranquila. A cidade está qualquer coisa, menos tranquila. Simão prefere os campos abertos. E agora, além de tudo isso, os guardas romanos estão abrindo caminho para a passagem de sabe-se lá qual dignitário, momento em que os soldados vão marchar e desfilar seus garanhões diante das pessoas.

"Lá está ele!"

A cabeça de Simão e a de dezenas de outros se viram. Percebem imediatamente que não se trata de um dignitário.

"É uma crucificação", ouve alguém dizer. Quatro soldados. Um criminoso. Quatro lanças. Uma cruz. O ângulo interno da cruz está sobre os ombros do condenado. Sua base se arrasta pelo chão. A parte superior balança no ar. O homem condenado tenta carregá-la de alguma maneira, mas tropeça diante de seu peso. Esforça-se para ficar em pé de novo e se inclina para a frente antes de cair novamente. Simão não consegue ver o rosto do homem, somente uma cabeça cingida de ramos espinhosos.

Um centurião com cara de poucos amigos fica ainda mais agitado com a diminuição da marcha. Ele xinga o criminoso e a multidão.

"Mais rápido!"

"Duvido muito", diz Simão a si mesmo.

Aquele que leva a cruz para na frente de Simão, ofegante, em busca de ar. Simão estremece diante do que vê. A travessa esfrega as costas em carne viva. Cascatas vermelhas escorrem da face do homem. Sua boca permanece aberta, tanto pela dor como pela falta de ar.

"Seu nome é Jesus", diz alguém com voz suave.

"Prossiga!", ordena o carrasco.

Mas Jesus não consegue. Seu corpo se inclina e os pés tentam se mover, mas ele não consegue. A travessa começa a oscilar. Jesus tenta firmá-la, mas não tem forças. Tal como uma árvore cortada há pouco, a cruz começa a cair na direção da multidão. Todos se afastam, exceto o fazendeiro. Simão instintivamente estende suas mãos fortes e pega a cruz.

Jesus cai com o rosto no chão e ali permanece. Simão afasta a cruz para o lado. O centurião olha para o Cristo exausto e para o observador corpulento, e não leva muito tempo para tomar sua decisão. Toca o ombro de Simão com a parte plana de sua lança.

— Você! Pegue a cruz!

Simão ousa reclamar.

— Senhor, eu nem sequer conheço esse homem!

— Não importa. Pegue a cruz!

Simão resmunga, sai do meio da multidão na direção da rua, equilibra o madeiro em seu ombro, saindo do anonimato para a história, e torna-se o primeiro de uma linhagem de milhões que tomarão a cruz e seguirão a Cristo.

Ele fez de modo literal aquilo que Deus nos chama a fazer de maneira figurada: tomar a cruz e seguir Jesus. "Se alguém quiser acompanhar-me, negue-se a si mesmo, tome diariamente a sua cruz e siga-me" (LC 9:23).

A CRUZ.

É estranho que uma ferramenta de tortura

TENHA PERSONIFICADO UM MOVIMENTO DE ESPERANÇA.

A Placa na Cruz de Cristo

"Este é o rei dos judeus."

Uma placa pintada à mão, um sinal exigido pelos romanos...

Por que uma placa foi colocada acima da cabeça de Jesus?

Por que as palavras foram escritas em três idiomas?

Seria essa peça de madeira um retrato da dedicação de Deus? Um símbolo de sua paixão, que falasse a todos sobre seu Filho?...

O objetivo de Pilatos foi ameaçar e zombar dos judeus. Mas Deus tinha outro propósito... Pilatos foi instrumento de Deus para espalhar o evangelho.

Qualquer passante poderia ler a placa, pois qualquer passante poderia ler hebraico, latim ou grego — os três grandes idiomas do mundo antigo. "Hebraico era o idioma de Israel, a língua da religião; o latim era o idioma dos romanos, a língua da lei e do governo; e o grego era o idioma da Grécia, a língua da cultura. Cristo foi declarado rei em todos eles" (McHugh e McHugh, *The Trial of Jesus*). Deus tinha uma mensagem para cada um. "Cristo é rei." A mensagem foi a mesma, mas os idiomas eram diferentes, uma vez que Jesus era um rei para todos os povos.

Ele escolheu os cravos

Dois Ladrões, Duas Cruzes

LUGAR DA CAVEIRA — exposto ao vento e pedregoso. O ladrão — esquelético e pálido...

Sua situação é deplorável. Está dando o último passo na descida da escada do fracasso. Um crime após outro. Uma rejeição atrás da outra. Desceu cada vez mais baixo até que alcançou o fundo — a travessa de uma cruz e três cravos.

Não consegue esconder quem é. Sua única roupa é a capa de sua desgraça. Nada de conversa para impressionar. Nenhum destaque no currículo. Nenhum prêmio na escola dominical. Apenas uma história nua e crua de fracasso.

Ele vê Jesus...

Ouve a zombaria e os insultos, e nota que o homem permanece quieto. Vê o sangue fresco no rosto de Jesus, a coroa de espinhos arranhando seu couro cabeludo e ouve o sussurro rouco: "Pai, perdoa-lhes".

Por que querem matá-lo?

Lentamente a curiosidade do ladrão neutraliza a dor de seu corpo. Por um instante, ele esquece a dor dos pregos roçando os ossos de seus pulsos e a câimbra nas panturrilhas.

Começa a sentir um calor estranho em seu coração. Começa a se importar; começa a se interessar por aquele mártir pacífico.

Não há raiva nos olhos dele, apenas lágrimas.

Olha para o grupo de soldados lançando dados no chão, apostando para ver quem fica com uma capa rasgada. Vê a placa acima da cabeça de Jesus. Está escrito, com sarcasmo, "Rei dos judeus"...

De repente, seus pensamentos são interrompidos pelas acusações proferidas pelo criminoso na outra cruz. Ele também estava estudando Jesus, mas o faz através das lentes manchadas do cinismo.

> *"Você não é o Cristo? Salve-se a si mesmo e a nós!"* (LC 23:39)

É um dilema inexplicável: como duas pessoas podem ouvir as mesmas palavras, ver o mesmo Salvador e apenas uma delas enxergar esperança, enquanto a outra não vê nada além de si mesma?

Era tudo o que o primeiro criminoso poderia suportar. Talvez o canalha que atirou essas pedras esperasse o que o outro também atirasse as suas. Mas ele não fez isso. Não cantou a segunda estrofe. O que o criminoso de língua ferina terminou ouvindo foram palavras de defesa.

> *"Você não teme a Deus?"*

Quando parece que todo mundo lhe virara as costas, um ladrão se coloca entre Jesus e os acusadores e fala em seu favor.

> *"Você não teme a Deus, nem estando sob a mesma sentença? Nós estamos sendo punidos com justiça, porque estamos recebendo o que os nossos atos merecem. Mas este homem não cometeu nenhum mal."* (LC 23:40)

Os soldados levantam a cabeça. Os sacerdotes encerram a conversa. Maria enxuga as lágrimas e ergue os olhos. Ninguém sequer notara aquele homem, mas agora todos olham para ele.

Talvez até mesmo Jesus tenha olhado para ele. Talvez tenha se virado para ver quem falara quando todos os demais permaneceram em silêncio. Talvez tenha se esforçado para colocar os olhos em quem ofereceu esse que pode ter sido o derradeiro gesto de amor a receber ainda em vida. Fico pensando: será que ele sorriu quando essa ovelha entrou para o rebanho?

Pois, com efeito, é exatamente isso o que o criminoso está fazendo. Está entrando para o lugar seguro aos tropeções, com o portão se fechando. Embutidos na declaração do ladrão estão os dois fatos que qualquer pessoa precisa reconhecer para poder vir a Jesus. Leia a frase de novo. Consegue vê-los?

"Nós estamos sendo punidos com justiça, porque estamos recebendo o que os nossos atos merecem. Mas este homem não cometeu nenhum mal." (LC 23:41).

Somos culpados, e ele é inocente.

Somos sujos, e ele é puro.

Estamos errados, e ele está certo.

Ele não está naquela cruz por seus próprios pecados. Ele está lá pelos nossos.

Depois de ter entendido isso, o pedido do ladrão é simplesmente a reação natural. Enquanto olha nos olhos de sua última esperança, ele faz o mesmo pedido que qualquer cristão já fez.

"Jesus, lembra-te de mim quando entrares no teu Reino." (LC 23:42)

Nenhuma homilia num salão com vitrais. Nenhuma desculpa. Apenas um pedido desesperado de ajuda.

Nesse momento, Jesus realiza o maior milagre da cruz. Maior do que o terremoto. Maior do que rasgar o véu do templo. Maior do que as trevas. Maior do que os santos ressuscitados andando pelas ruas.

Ele realiza o milagre do perdão. Um criminoso enterrado até o pescoço em pecado é recebido por um Salvador manchado de sangue.

"Eu lhe garanto: Hoje você estará comigo no paraíso." (LC 23:43)

QUANDO LHE FOI PEDIDO QUE DESCREVESSE

a extensão de seu amor,

Cristo estendeu uma das mãos para a direita

e a outra para a esquerda, e nessa posição

elas foram pregadas

para que você soubesse que ELE MORREU POR AMOR A VOCÊ.

Ele morreu por amor a você.

A História do Canalha Crucificado

Se havia alguém que não valia nada, era ele.

Se algum homem já mereceu morrer, esse certamente era seu caso.

Se já houve perdedores, aquele estava no topo da lista.

Talvez essa tenha sido a razão de Jesus tê-lo escolhido para nos mostrar o que ele acha da raça humana.

Talvez esse criminoso tenha ouvido o Messias pregar. Talvez o tenha visto amar o pobre. Talvez o tenha visto jantar com os rebeldes, os batedores de carteira e os desprezados nas ruas. Ou talvez não.

Talvez a única coisa que ele soubesse em relação a esse Messias fosse aquilo que ele via naquele instante: um pregador agredido, açoitado e suspenso por pregos. Sua face vermelha de sangue, seus ossos aparecendo por entre a carne dilacerada, seus pulmões procurando ar com grande esforço.

Contudo, algo lhe diz que nunca esteve em melhor companhia. De algum modo, ele percebeu que, muito embora tudo o que tivesse fosse uma oração, ele finalmente encontrara aquele a quem dirigi-la.

Seu nome é Salvador

*Não foram pregos que prenderam
Deus a uma cruz.*

Foi o amor.

“Pai, Perdoa-lhes.”

A conversa naquela manhã de sexta-feira foi amarga.

Dos que assistiam, veio a frase: “Salve-se! Desça da cruz, se é Filho de Deus!”.

Dos líderes religiosos: “Salvou os outros, mas não é capaz de salvar a si mesmo!”.

Dos soldados: “Se você é o rei dos judeus, salve-se a si mesmo”.

Palavras amargas. Ácidas de tanto sarcasmo. Abomináveis. Irreverentes. Já não era suficiente o fato de ele ser crucificado? Não bastava passar pela vergonha de ser considerado criminoso? Os cravos não eram suficientes? Por acaso a coroa de espinhos era macia? Será que o espancamento foi curto demais?

Para alguns, aparentemente sim...

Das cenas em torno da cruz, essa é a que mais me irrita. Pergunto-me: que tipo de pessoa zombaria de um moribundo? Quem seria tão desprezível a ponto de jogar o sal da zombaria sobre feridas abertas? Que coisa mais vil e pervertida zombar de alguém afligido por tamanhas dores...

As palavras lançadas naquele dia tinham o propósito de ferir. E não há nada mais doloroso que palavras cujo objetivo é machucar...

Se você já sofreu ou está sofrendo por causa das palavras de alguém, então ficará feliz em saber que existe um bálsamo para essa aflição. Medite nestas palavras de 1PEDRO 2:23:

“Quando insultado, não revidava; quando sofria, não fazia ameaças, mas entregava-se àquele que julga com justiça.”

Viu o que Jesus não fez? Ele não retaliou. Ele não mordeu para revidar. Não disse: “Vou pegar você um dia!”. “Venha até aqui e diga isso na minha cara!” “Espere até a ressurreição, amigo!” Não, essas declarações não foram achadas nos lábios de Cristo.

Viu o que Jesus realmente fez? Ele se entregou "àquele que julga com justiça". Ou, dito de maneira mais simples, deixou o julgamento nas mãos de Deus. Ele não assumiu a tarefa de buscar vingança. Não exigiu um pedido de desculpas. Não contratou caçadores de criminosos nem enviou nenhum bando para procurar as pessoas. Agindo de maneira totalmente oposta, ele falou em defesa daquelas pessoas. "Pai, perdoa-lhes, pois não sabem o que estão fazendo" (LC 23:34)...

"NÃO SABEM O QUE ESTÃO FAZENDO."

Quando se pensa nisso, percebe-se que eles realmente não sabiam. Não faziam a menor ideia do que estavam fazendo. Era uma multidão histérica, enlouquecida diante de algo que não conseguia entender, de modo que, dentre todas as pessoas possíveis, jogaram tudo sobre Deus. Mas não sabiam o que estavam fazendo.

Sim, o diálogo naquela manhã de sexta-feira foi amargo. As pedras verbais tinham o propósito de perfurar. Com o corpo abatido pela dor, olhos cegados por seu próprio sangue e pulmões clamando por ar, o fato de Jesus ter falado em favor de assassinos sem coração está além da minha compreensão. Nunca, repito, nunca vi amor como esse. Se havia alguém que tinha direito de revidar, essa pessoa era Jesus. Mas ele não fez isso. Pelo contrário, morreu por eles. Como pôde fazer isso? Não sei. Mas o que de fato sei é que, de uma hora para outra, minhas feridas não doíam mais. Minhas reclamações e ressentimentos repentinamente se tornaram infantis.

Às vezes penso que podemos ver o amor de Cristo tanto em sua tolerância para com as pessoas como na dor que suportou.

Que graça maravilhosa!

Seu nome é Salvador

A Cruz

Será possível olhar para algum lugar e não ver pelo menos uma? Empoleirada no alto de uma capela. Esculpida numa lápide. Gravada num anel ou suspensa por uma corrente. A cruz é o símbolo universal do cristianismo. Uma escolha improvável, não acha? É estranho que uma ferramenta de tortura tenha personificado um movimento de esperança. Os símbolos de outras confissões de fé são mais "para cima": a estrela de Davi, com suas seis pontas, a lua crescente do islamismo, a flor de lótus do budismo. Mas uma cruz para o cristianismo? Um instrumento de execução? ❊ Por que a cruz é o símbolo de nossa fé? Não é preciso olhar para longe da própria cruz para encontrar a resposta. Seu desenho não poderia ser mais simples. Uma travessa horizontal e outra vertical. Uma se estende, entra em contato — como o amor de Deus. A outra se eleva — como a santidade de Deus. Uma representa a largura de seu amor; a outra reflete a altura de sua santidade. A cruz é a intersecção. A cruz é o lugar onde Deus perdoou seus filhos sem abaixar seus padrões. ❊ Como ele poderia fazer isso? Numa única frase: Deus colocou nosso pecado sobre seu Filho e o puniu ali. ❊ "Deus colocou o erro sobre ele, que nunca fez nada errado, para que pudéssemos nos acertar com Deus" (2CO 5:21, THE MESSAGE).

Ele escolheu os cravos

Jesus

Jesus passou cerca de três décadas

andando com dificuldade pela sujeira e pela lama

de nosso pecado,

mas ainda assim viu beleza suficiente em nós

para morrer por nossos erros.

"Aí está o seu filho."

JOÃO 19:26

JESUS PEDE A JOÃO QUE CUIDE DE SUA MÃE

Maria está mais velha. O cabelo das têmporas, branco. Rugas em lugar da pele jovem. As mãos estão calejadas. Criara vários filhos e agora, contempla a crucificação do primogênito.

Pode-se pensar nas lembranças que lhe vêm à memória enquanto testemunha a tortura que ele sofre. O longo caminho até Belém, talvez. Uma cama de bebê feita de feno para alimentar vacas. Fugitivos no Egito. Em casa, em Nazaré. Pânico em Jerusalém. "Achei que ele estava com você!" Aulas de carpintaria. Risos à mesa de jantar.

Então, a manhã em que Jesus entrou em casa, depois de sair mais cedo da carpintaria, com olhar mais firme, voz mais direta. Ele ouvira as notícias. "João está pregando no deserto." Seu filho tira o avental de trabalho, limpa as mãos e, com um último olhar, diz adeus à mãe. Ambos sabiam que ele nunca mais seria o mesmo. Naquele último olhar eles compartilharam um segredo, a extensão completa daquilo que era doloroso demais para ser dito em voz alta.

Maria conheceu naquele dia a dor no coração que surge por se dizer adeus. Desde então, passou a amar seu filho à distância: ao lado da multidão, de fora de uma casa lotada, à beira-mar...

"Aí está o seu filho."

João apertou o braço com mais força em torno de Maria. Jesus pedia que ele fosse o filho de que uma mãe precisa e que, de certo modo, ele nunca foi.

Jesus olhou para Maria. A dor que sentiu era muito maior que a provocada pelos cravos e espinhos. No olhar silencioso, eles mais uma vez compartilharam um segredo. E ele disse adeus.

SEU NOME É SALVADOR

Jesus

Com sede na cruz

Mais tarde, sabendo então que tudo estava concluído, para que a Escritura se cumprisse, Jesus disse: "Tenho sede".

Estava ali uma vasilha cheia de vinagre. Então embeberam uma esponja nela, colocaram a esponja na ponta de um caniço de hissopo e a ergueram até os lábios de Jesus. Tendo-o provado, Jesus disse: "Está consumado!" Com isso, curvou a cabeça e entregou o espírito.

JOÃO 19:28-30

Esse é o ato final da vida de Jesus. No último compasso de sua composição terrena, ouvimos os sons de um homem sedento.

Através de sua sede — por meio de uma esponja e de vinho barato — ele deixa um apelo final.

"Você pode confiar em mim."

Jesus. Lábios fendidos e boca seca como algodão. Garganta ressecada a ponto de não poder engolir e voz tão rouca a ponto de quase não poder falar. Ele tem sede. O último momento em que algo molhado tocou aqueles lábios acontecera cerca de doze horas antes, na refeição realizada no cenáculo. Desde que tomara aquela taça de vinho, Jesus foi espancado, cuspido, ferido e cortado. Carregou uma cruz e carregou pecado, e nenhum líquido chegou à sua garganta. Ele tem sede.

Por que ele não faz alguma coisa em relação a isso? Não poderia fazer algo? Ele não transformou jarros de água em jarros de vinho? Não fez uma parede com a água do rio Jordão e duas paredes com as águas do mar Vermelho? Não foi ele que, com uma palavra, afugentou a chuva e acalmou as ondas? As Escrituras não dizem que ele "transforma o deserto em açudes" (SL 107:35) e que faz "do rochedo uma fonte" (SL 114:8)?

Deus não disse: "Derramarei água sobre o sedento" (IS 44:3, RA)?

Se é assim, por que Jesus passa sede?

Paralelamente a essa pergunta, adicionemos algumas. Por que ele ficou cansado em Samaria (JO 4:6), foi admirado em Nazaré (MC 6:6) e ficou irritado no templo (JO 2:15)? Por que adormeceu no barco no mar da Galileia (MC 4:38), por que chorou diante da sepultura de Lázaro (JO 11:35) e por que teve fome no deserto (MT 4:2)?

Por quê? E por que teve sede na cruz?

Ele não precisava ficar com sede. Pelo menos não no nível que sentiu. Seis horas antes lhe foi oferecida uma bebida, mas ele a recusou.

"Levaram Jesus ao lugar chamado Gólgota, que quer dizer lugar da Caveira. Então lhe deram vinho misturado com mirra, mas *ele não o bebeu*. E o crucificaram. Dividindo as roupas dele, tiraram sortes para saber com o que cada um iria ficar" (MC 15:22-24, grifo do autor).

Antes de o cravo ser pregado, uma bebida foi oferecida. Marcos diz que o vinho estava misturado com mirra; Mateus diz que o vinho estava misturado com fel. Tanto a mirra quanto o fel possuem propriedades sedativas que entorpecem os sentidos. Mas Jesus os recusou. Recusou-se a ser entorpecido pelas drogas, optando em vez disso por sentir a força completa de seu sofrimento.

Por quê? Por que suportou todas essas sensações? Porque sabia que você as sentiria também.

Ele sabia que você ficaria cansado, admirado e irritado. Sabia que você sentiria sono, que seria afligido pela dor e que sentiria fome. Sabia que você enfrentaria dor. Ainda que não fosse a dor do corpo, seria a dor da alma... uma dor forte demais para qualquer droga. Sabia que você teria sede. Ainda que não fosse sede de água, pelo menos sede pela verdade, e a verdade que depreendemos da sede de Cristo é que ele nos entende.

E, porque Cristo nos entende, podemos ir a ele.

As últimas palavras de Jesus na cruz

A colina está silenciosa agora. Não tranquila, mas silenciosa. Pela primeira vez naquele dia todo, não há ruído. O clamor começou a diminuir quando as trevas chegaram — aquela escuridão intrigante, bem ao meio-dia. Assim como a água põe fim ao fogo, as sombras puseram fim à zombaria. Chega de insultos. Chega de piadas. Chega de galhofa. E, com o passar do tempo, chega de zombadores. Um a um, os observadores se viraram e começaram a descer.

Ou melhor, todos os observadores, exceto eu e você. Não fomos embora. Viemos para aprender. Assim, permanecemos na semiescuridão e escutamos. Ouvimos os soldados xingando, os passantes questionando e as mulheres chorando. Acima de tudo, porém, ouvimos o trio de homens gemendo. Gemidos roucos, guturais, sedentos. Gemiam cada vez que mexiam a cabeça e sempre que se apoiavam nas pernas.

Contudo, à medida que os minutos foram se transformando em horas, esses gemidos diminuíram. Os três pareciam mortos. Não fosse pela respiração extremamente difícil, era possível dizer que já haviam morrido.

Então, ele gritou. Como se alguém tivesse puxado seus cabelos, a parte posterior da cabeça bateu contra a placa que apresentava seu nome, e ele gritou. Tal como uma adaga que corta uma cortina, seu grito cortou a escuridão. Colocando-se o mais ereto que os pregos lhe permitiam, ele gritou como alguém que chama um amigo ausente: "Eloí!".

Sua voz saiu áspera e estridente. Reflexos das tochas brilhavam em olhos arregalados. "Meu Deus!"

Ignorando a dor que jorrava como que de um vulcão, empurrou-se para cima até que seus ombros ficassem acima das mãos pregadas. "Por que me abandonaste?"

Os soldados olharam fixamente. O choro das mulheres cessou. Um dos fariseus olhou com desprezo e disse com sarcasmo: "Ele está chamando Elias".

Ninguém riu.

Ele lançou uma pergunta aos céus, e quase ficamos na expectativa de que os céus respondessem.

Ao que parece, os céus responderam. A face de Jesus se tranquilizou, e um amanhecer vespertino surgiu quando ele falou pela última vez. "Está consumado. Pai, nas tuas mãos entrego o meu espírito."

Quando deu seu último suspiro, a terra estremeceu repentinamente. Uma pedra rolou e um soldado tropeçou. Então, tão rapidamente quanto foi quebrado, o silêncio retornou.

Agora, tudo está quieto. A zombaria cessou. Não há mais de quem zombar.

Os soldados estão ocupados com o destino dos mortos. Chegam dois homens. Bem-vestidos e bem-intencionados, recebem o corpo de Jesus.

Um Grito de Vitória

"ESTÁ CONSUMADO."

Pare e ouça. Consegue imaginar o grito que vem da cruz? O céu está escuro. As outras duas vítimas estão gemendo. As línguas mordazes estão caladas. Talvez haja algum trovão. Talvez haja choro. Talvez haja silêncio. Então, Jesus dá um suspiro profundo, empurra seus pés para baixo naquela cruz romana e grita: "Está consumado!".

O que está consumado?

O longo plano histórico de redenção do homem estava consumado. A mensagem de Deus ao homem estava consumada. As obras realizadas por Jesus como homem na terra estavam consumadas. A tarefa de selecionar e treinar embaixadores estava consumada. O trabalho estava concluído. A canção fora cantada. O sangue fora derramado. O sacrifício fora realizado. O aguilhão da morte fora removido. Tudo acabou.

Um grito de derrota? Dificilmente. Se suas mãos não estivessem presas para baixo, ouso dizer que um punho triunfante teria atingido o céu escuro. Não, esse não é um grito de desespero. É um grito de realização. Um grito de vitória. Um grito de completude. Sim, até mesmo um grito de alívio.

Acabou.

Um anjo suspira. Uma estrela enxuga uma lágrima.

“LEVE-ME PARA CASA.”

Sim, leve-o para casa.
Leve este príncipe ao seu rei.
Leve este filho ao seu pai.
Leve este peregrino ao seu lar.
(Ele merece um descanso.)

“LEVE-ME PARA CASA.”

Que venham dez mil anjos!
Venham e levem este trovador ferido
Ao aconchego dos braços de seu Pai!

Adeus, menino da manjedoura.
Bendito seja, santo embaixador.
Volte ao Lar, matador da morte.
Descanse em paz, doce soldado.

A batalha terminou.

Está consumado?

Como Jesus pôde dizer que estava consumado?

Ainda havia famintos a alimentar, doentes para curar,

incultos a instruir, desprezados a amar.

Como ele pôde dizer que estava consumado?

Simples. Ele completara a tarefa que lhe fora designada.

Sua comissão fora cumprida. O pintor podia colocar o pincel de lado,

o escultor podia largar seu cinzel, o autor podia abandonar a pena.

O trabalho fora realizado.

SIMPLESMENTE COMO JESUS

Você sente que precisa de incentivo?

Você precisa apenas parar aos pés da cruz
e lembrar-se disto:

O criador das estrelas

preferiu morrer por você

a viver sem você.

E isso é um fato.

Jesus

O Centurião aos Pés da Cruz

O centurião estava acostumado à fatalidade. Com o passar dos anos, tornou-se insensível aos gritos do crucificado. Já havia dominado a arte de entorpecer seu coração. Mas aquela crucificação o atormentou.

O DIA COMEÇOU como centenas de outros: horrível. Já era suficientemente ruim estar na Judeia, mas era um inferno passar tardes quentes numa colina rochosa supervisionando a morte de batedores de carteira e agitadores. Metade da multidão insultava e a outra metade chorava. Os soldados reclamavam. Os sacerdotes controlavam. Era um trabalho ingrato numa terra estranha. Assim que levantava da cama, não via a hora de o dia terminar.

Ficou curioso diante da atenção dada ao camponês de pés chatos. Sorriu ao ler a placa que seria colocada na cruz. O condenado parecia qualquer coisa, menos um rei. Seu rosto estava sujo e ferido. Suas costas estavam levemente arqueadas e seus olhos se voltavam para baixo. "Algum caipira inofensivo", pensou o centurião. "O que será que ele fez?"

Então Jesus levantou a cabeça. Não estava irado. Não estava inquieto. Seus olhos pareciam estranhamente calmos por trás daquela máscara de sangue. Olhou para os que o conheciam — fitando deliberadamente cada rosto como se tivesse uma palavra para cada um.

Olhou para o centurião por apenas um instante — por um segundo, o romano olhou para os olhos mais puros que já vira. Não sabia o significado daquele olhar. Mas o olhar o fez engolir em seco; seu estômago parecia vazio. Enquanto olhava o soldado agarrar o Nazareno e jogá-lo no chão, algo lhe dizia que aquele não seria um dia comum.

Com o passar das horas, o centurião viu-se olhando mais e mais para aquele que estava na cruz central. Não sabia como reagir diante do silêncio do Nazareno. Não sabia o que fazer com sua bondade.

Acima de tudo, porém, ficou perplexo diante das trevas. Não entendia aquele céu negro no meio da tarde. Ninguém conseguia explicá-lo... Ninguém sequer tentou fazê-lo. Num minuto, sol; no minuto seguinte, trevas. Num instante, calor; no outro, uma brisa fria. Até os sacerdotes silenciaram.

Por bastante tempo o centurião ficou sentado numa pedra, olhando para as três figuras desenhadas diante dele. A cabeça deles ficava imóvel, movendo-se ocasionalmente de um lado para outro. A zombaria havia silenciado... misteriosamente. Aqueles que haviam chorado agora esperavam.

De repente, a cabeça do meio para de se mexer. Jogou-se para cima, ereta. Seus olhos se abriram num clarão branco. Um bramido cortou o silêncio. "Está consumado!" (JO 19:30). Não foi um grito. Não foi um clamor. Foi um bramido... um rugido como o de um leão. O centurião não sabia de que mundo viera aquele rugido, mas sabia que não viera deste mundo.

O centurião levantou-se da pedra onde estava e deu alguns passos na direção do Nazareno. Conforme foi chegando perto, pôde ver que Jesus olhava para o céu. Havia algo em seus olhos que o soldado precisava ver. Mas, depois de apenas alguns passos, ele caiu. Levantou-se e caiu novamente. O chão estava tremendo, suavemente, no início, mas agora de maneira violenta. Tentou caminhar mais uma vez e só conseguiu dar uns poucos passos antes de cair... aos pés da cruz.

Olhou para cima, na direção da face daquele moribundo. O Rei olhou para baixo, na direção do centurião calejado e idoso. As mãos de Jesus foram amarradas; não podiam se estender. Seus pés foram pregados à madeira; não podiam caminhar em sua direção. Sua cabeça pesava pela dor; ele mal conseguia se mexer. Mas seus olhos... estavam em chamas.

Eram insaciáveis. Eram os olhos de Deus.

Talvez isso tenha feito o centurião dizer o que disse. Ele viu os olhos de Deus. Viu os mesmos olhos que foram vistos por uma adúltera seminua em Jerusalém, uma mulher divorciada e sem amigas em Samaria e um Lázaro morto havia quatro dias num cemitério. Os mesmos olhos que não se fecharam diante da visão da futilidade do homem, que não se afastaram diante dos fracassos do homem e que não estremeceram ao testemunhar a morte do homem.

"Tudo bem", disseram os olhos de Deus. "Já vi as tempestades e, ainda assim, está tudo bem."

As convicções do centurião começaram a escorrer como rios. "Ele não era carpinteiro coisa nenhuma", falou para si mesmo. "Não era um simples camponês. Não era um homem comum."

Levantou-se e olhou ao redor, na direção das rochas que haviam caído e para o céu enegrecido. Voltou-se e olhou para os soldados, que olhavam para Jesus com o rosto congelado. Virou-se mais uma vez e viu os olhos de Jesus erguidos e voltados na direção de seu lar. Ouviu o que os lábios ressecados e a língua inchada disseram pela última vez.

"Pai, nas tuas mãos entrego o meu espírito" (LC 23:46).

Se o centurião não tivesse dito isso, os soldados teriam. Se o centurião não tivesse dito isso, as pedras teriam dito — assim como os anjos, as estrelas, até mesmo os demônios. Mas ele disse. Coube a um estrangeiro anônimo declarar aquilo que todos sabiam.

"Verdadeiramente este era o Filho de Deus!" (MT 27:54)

Não foram os soldados que o mataram,
nem os gritos da multidão:

foi sua devoção a nós.

Jesus

Seis horas, uma sexta-feira.

Para o observador desatento, as seis horas são triviais.
Um pastor com suas ovelhas, uma dona de casa com seus pensamentos, um médico com seus pacientes. Mas para aquele punhado de testemunhas boquiabertas o mais insano dos milagres está acontecendo.

Deus está numa cruz. O criador do universo está sendo executado.

Cuspe e sangue estão grudados em seu rosto,
e seus lábios estão rachados e inchados. Espinhos rasgam seu couro cabeludo.
Seus pulmões gritam de dor. Suas pernas se contorcem com as câimbras.
Nervos tensos ameaçam desprender-se conforme a dor ressoa
sua melodia mórbida...
E não há ninguém para salvá-lo, pois ele próprio está se sacrificando.

Não são seis horas normais...

Não é uma sexta-feira normal.

Seis horas de uma sexta-feira

SUA RESSURREIÇÃO

Jesus...

Quando ele
removeu a pedra,
toda razão para dúvida
foi removida.

A ressurreição de Cristo

É um clarão refulgente

que anuncia a todo que

busca sinceramente

QUE É SEGURO CRER.

Depois disso José de Arimateia pediu a Pilatos o corpo de Jesus. José era discípulo de Jesus, mas o era secretamente, porque tinha medo dos judeus. Com a permissão de Pilatos, veio e levou embora o corpo. Ele estava acompanhado de Nicodemos, aquele que antes tinha visitado Jesus à noite. Nicodemos levou cerca de trinta e quatro quilos de uma mistura de mirra e aloés. Tomando o corpo de Jesus, os dois o envolveram em faixas de linho, com as especiarias, de acordo com os costumes judaicos de sepultamento. No lugar onde Jesus foi crucificado havia um jardim; e no jardim, um sepulcro novo, onde ninguém jamais fora colocado.

JOÃO 19:38-41

RELUTANTES DURANTE A VIDA DE CRISTO, mas corajosos em sua morte, José e Nicodemos vieram servir a Jesus. Vieram sepultá-lo. Subiram a colina levando as roupas para o sepultamento.

Pilatos lhes dera permissão.

José de Arimateia deu uma sepultura.

Nicodemos trouxe as especiarias e os panos de linho.

João afirma que Nicodemos trouxe trinta e quatro quilos de mirra e aloés. Essa quantidade é digna de nota, pois tal abundância de bálsamos para sepultamento era normalmente usada apenas para reis.

O Selo sobre a Tumba

Para garantir a entrega de uma carta, você sela o envelope. Para manter o ar fora de uma jarra, você sela sua boca com uma tampa de borracha. Para evitar que o oxigênio entre no vinho, você sela a abertura com cortiça e cera. Para selar um acordo, você precisa assinar um contrato ou reconhecer a firma de uma assinatura. O ato de selar declara propriedade e assegura o conteúdo.

O mais famoso ato de selar do Novo Testamento ocorreu na tumba de Jesus. Os soldados romanos rolaram uma pedra sobre a entrada e "montaram guarda ao sepulcro, selando a pedra" (MT 27:66, RA). Os arqueólogos imaginam duas tiras esticadas na entrada, coladas com cera endurecida que recebia o imprimátur do governo romano SPQR (*Senatus Populusque Romanus*), como que dizendo "Afaste-se! O conteúdo desta tumba pertence a Roma".

O selo deles, é claro, mostrou-se inútil.

QUEM TEM SEDE VENHA

O Sepultamento de Jesus

Quando Pilatos soube que Jesus estava morto, perguntou aos soldados se eles tinham certeza disso. Tinham. Se vissem o Nazareno se contorcer, se tivessem ouvido um gemido, teriam quebrado suas pernas para acelerar seu fim. Mas não houve necessidade. O golpe de uma lança removeu qualquer dúvida. Os romanos sabiam como realizar seu trabalho. E seu trabalho estava concluído. Arrancaram os cravos, baixaram o corpo e o entregaram a José e a Nicodemos.

José de Arimateia. Nicodemos, o fariseu. Sentavam em lugares de poder e tinham posições de influência. Homens de meios e homens de poder. Mas trocariam tudo isso para ver a respiração no corpo de Jesus. Ele respondera à oração de seus corações, a oração que pedia o Messias. Tanto quanto os soldados o queriam morto, aqueles homens o queriam vivo.

Você sabia que, enquanto limpavam o sangue de sua barba, tentaram ouvir sua respiração? Que, enquanto enrolavam o tecido em torno de suas mãos, tinham esperança de encontrar pulso? Que buscaram algum sinal de vida?

Mas não encontraram.

Assim, fizeram com ele o que se esperava fazer com um homem morto. Enrolaram seu corpo em linho limpo e colocaram-no na tumba. A tumba de José. Guardas romanos montaram guarda para proteger o corpo. Um selo romano é colocado na pedra que fecha a tumba. Por três dias, ninguém chega perto da sepultura.

Mas então chega o domingo. E, com o domingo, chega a luz — uma luz dentro da tumba. Uma luz brilhante? Uma luz suave? Faiscante? Flutuando no ar? Não sabemos. Mas houve uma luz. Pois ele é a luz. E com a luz veio a vida. Assim que as trevas são banidas, a decomposição é revertida. Os céus sopram e Jesus respira. Seu peito se expande. Lábios de cera se abrem. Dedos de madeira se erguem. Válvulas cardíacas assobiam e articulações se dobram.

E, à medida que contemplamos o momento, ficamos maravilhados.

Ficamos maravilhados não apenas por aquilo que vemos, mas por aquilo que sabemos... "Sabemos que a ressurreição de Jesus dentre os mortos foi um sinal do fim da morte como o fim de tudo. Jamais a morte voltará a ter a palavra final. Quando morreu, Jesus levou consigo o pecado para a sepultura, mas, agora vivo, traz Deus até nós" (RM 6:5-7, *THE MESSAGE*).

QUANDO CRISTO VOLTAR

MAS, ENTÃO, CHEGOU O DOMINGO.
Jesus

Deus vive para ouvir seu coração.

Ele adora ouvir suas orações.

Ele morreu por seu pecado

antes de permitir que você morresse em seus pecados.

Foi isso que ele fez.

João Permaneceu por Perto

PODERIA TER HAVIDO pior tragédia na vida de João que a morte de Jesus? Três anos antes, João dera as costas à carreira e apostara todas as fichas nesse carpinteiro de Nazaré. No começo da semana, João participara de uma parada grandiosa ao entrar com Jesus e os discípulos em Jerusalém. Ah, como as coisas mudaram rapidamente! As pessoas que o chamaram de rei no domingo pediram sua morte na sexta-feira. Aquele linho era um lembrete tangível de que seu amigo e seu futuro estavam embrulhados em panos e selados atrás de uma pedra.

Naquela sexta-feira, João não sabia o que eu e você sabemos hoje. Ele não sabia que a tragédia da sexta-feira seria o triunfo do domingo. Mais tarde, João confessaria que "eles ainda não haviam compreendido que, conforme a Escritura, era necessário que Jesus ressuscitasse dos mortos" (JO 20:9).

É POR ISSO QUE AQUILO QUE ELE FEZ NO SÁBADO É TÃO IMPORTANTE.

Não sabemos nada sobre esse dia; não há nenhuma passagem para ler, nenhum conhecimento para compartilhar. Tudo o que sabemos é isto: quando o domingo chegou, João ainda estava presente. Maria Madalena o encontrou quando foi procurá-lo.

Jesus estava morto. O corpo do Mestre estava sem vida. O amigo e o futuro de João estavam sepultados. Mas João não foi embora. Por quê? Estaria ele esperando pela ressurreição? Não. Até onde ele sabia, os lábios ficariam silenciosos para sempre e as mãos estariam imóveis pela eternidade. Ele não esperava uma surpresa no domingo. Então por que ficou por ali?

Você talvez pensasse que ele havia partido. Quem poderia garantir que os homens que crucificaram Cristo não viriam atrás dele? As multidões estavam satisfeitas com uma crucificação; os líderes religiosos poderiam querer mais. Por que João não saiu da cidade?

Talvez a resposta seja pragmática; talvez ele estivesse cuidando da mãe de Jesus.

Ou quem sabe não tivesse para onde ir. Pode ser que não tivesse dinheiro, forças, direção... ou tudo isso ao mesmo tempo.

Pode ser que tenha permanecido ali porque amava Jesus.

Para os outros, Jesus era um milagreiro. Para os outros, Jesus era um mestre do ensino. Para os outros, Jesus era a esperança de Israel. Mas, para João, ele era tudo isso e muito mais. Para João, Jesus era um amigo.

Não se abandona um amigo — nem mesmo quando esse amigo está morto. João permaneceu perto de Jesus.

Ele tinha o hábito de fazer isso. Estava perto de Jesus no cenáculo. Estava perto de Jesus no jardim do Getsêmani. Estava aos pés da cruz na crucificação e estava a poucos passos da tumba no sepultamento.

> Ele entendia Jesus? Não.
>
> Estava feliz por Jesus ter feito o que fez? Não.
>
> Mas abandonou Jesus? Não.

Nós esquecemos que
IMPOSSÍVEL
é uma das palavras preferidas de Deus.

Maria Madalena Junto ao Sepulcro de Jesus

Festa era a última coisa que Maria Madalena esperava ver ao se aproximar do sepulcro naquela manhã de domingo. Não havia nada a comemorar em relação aos dias anteriores. Os judeus podiam festejar — Jesus estava fora do caminho. Os soldados podiam festejar — sua missão estava concluída. Mas Maria não podia festejar. Para ela, os últimos dias foram simplesmente uma tragédia.

MARIA ESTEVE POR PERTO. Ouviu os líderes clamarem pelo sangue de Jesus. Testemunhou o chicote romano arrancar a pele de suas costas. Estremeceu quando os espinhos cortaram sua sobrancelha e chorou diante do peso da cruz.

No museu do Louvre existe uma pintura que retrata a cena da cruz. Naquele quadro, as estrelas estão mortas e o mundo está envolto em trevas. Percebe-se uma forma humana ajoelhada nas sombras. É Maria. Ela tem os lábios e as mãos sobre os pés ensanguentados de Cristo.

Não sabemos se Maria fez isso, mas sabemos que poderia tê-lo feito. Ela estava lá. Estava lá para colocar seu braço em volta do ombro de Maria, a mãe de Jesus. Estava lá para fechar os olhos dele. Ela estava lá.

Portanto, não é surpresa que ela quisesse estar lá de novo.

No meio do nevoeiro da manhã, ela se levanta da cama, pega as especiarias e o aloés e sai de casa. Passa pelo Portão dos Jardins e sobe a encosta da colina. Prevê que realizará uma tarefa lúgubre. Nesse momento, o corpo estará inchado. Seu rosto estará esbranquiçado. O odor da morte será intenso.

O céu cinzento dá lugar ao dourado enquanto caminha pela trilha estreita. Ela suspira ao fazer a última curva. A pedra colocada na frente da sepultura fora removida.

"Tiraram o Senhor do sepulcro." Ela corre para despertar Pedro e João. Eles correm para ver por si mesmos. Ela tenta acompanhá-los, mas não consegue.

Pedro sai da tumba perplexo e João sai crente, mas Maria fica simplesmente sentada diante da entrada, chorando. Os dois homens vão para casa e deixam-na sozinha com sua dor.

Mas alguma coisa lhe diz que ela não está sozinha. Talvez tenha ouvido um barulho. Talvez tenha ouvido um sussurro. Ou talvez tenha simplesmente escutado seu coração lhe dizer para dar uma olhada.

Seja qual tenha sido a razão, ela o faz. Começa a descer, estica a cabeça pela porta escavada e espera que seus olhos se ajustem à escuridão.

"Mulher, por que você está chorando?" Ela vê o que parece ser um homem, mas é todo branco — radiantemente branco. É uma das duas luzes que vê, uma em cada extremidade da laje vazia. Duas velas brilhando num altar.

"Mulher, por que você está chorando?" Uma pergunta incomum a se fazer num cemitério. A verdade é que a pergunta é grosseira. A não ser, porém, que o questionador saiba algo de que o questionado não tem consciência.

"Levaram embora o meu Senhor e não sei onde o puseram."

Ela ainda o chama de "meu Senhor". Até onde ela sabe, os lábios dele estão cerrados. Até onde ela sabe, o corpo dele foi levado por ladrões. Mas, a despeito de tudo isso, ela ainda o chama de seu Senhor.

Tal devoção comove Jesus. Ele se aproxima dela. Chega tão perto a ponto de ela ouvir sua respiração. Ela se volta e lá está ele. Pensa que é o jardineiro.

Ora, Jesus poderia ter-se revelado nesse momento. Poderia ter chamado um anjo para apresentá-lo ou uma banda para anunciar sua presença. Mas não o fez.

"Mulher, por que está chorando? Quem você está procurando?" (JO 20:1-18)

Ele não a deixou pensando por muito tempo, apenas o suficiente para nos lembrar que ele adora nos surpreender. Ele espera que percamos as esperanças na força humana e, então, intervém com a força celestial. Deus espera que desistamos e, aí, surpresa!

Note a surpresa enquanto o nome de Maria é falado por um homem a quem ela amava, um homem que ela havia sepultado.

"Miriam."

Deus aparece nos lugares mais estranhos. Faz as coisas mais esquisitas. Produz sorrisos onde havia apenas carrancas. Gera brilho onde havia apenas lágrimas. Coloca uma estrela brilhante num céu escuro. Põe um arco-íris no meio de nuvens de tempestade. Diz nomes num cemitério.

"Miriam", disse ele, mansamente, "surpresa!".

Maria está chocada. Não é comum ouvir seu nome falado por uma voz eterna. Mas, quando a ouviu, ela a reconheceu. E, quando a reconheceu, reagiu adequadamente. Ela o adorou.

"Quem você está procurando?"

Jesus

Seu corpo ressurreto

Jesus apareceu aos seus seguidores em um corpo de carne e osso: "Um espírito não tem carne nem ossos, como vocês estão vendo que eu tenho" (LC 24:39). Seu corpo ressurreto era um corpo real, suficientemente real para andar pelo caminho de Emaús, para ser confundido com o de um jardineiro, para comer peixe no desjejum. ❉ Ao mesmo tempo, o corpo real de Jesus era de fato diferente. Os discípulos de Emaús não o reconheceram e as paredes não o impediram. Marcos tentou descrever a nova aparência, mas contentou-se em dizer que "Jesus apareceu noutra forma" (MC 16:12). Embora seu corpo fosse o mesmo, era melhor; era glorificado. Era um corpo celestial. ❉ E não encontro nenhuma passagem que diga que Jesus tenha se desfeito desse corpo. Ele subiu ao céu com ele. "Foi elevado às alturas enquanto eles olhavam, e uma nuvem o encobriu da vista deles" (AT 1:9). Jesus voltará nesse corpo. Os anjos disseram aos seguidores: "Este mesmo Jesus, que dentre vocês foi elevado aos céus, voltará da mesma forma como o viram subir" (AT 1:11). ❉ O Deus-homem continua sendo as duas coisas. As mãos que abençoaram o pão do menino agora abençoam as orações de milhões. E a boca que envia os anjos é a boca que beijou crianças. ❉ Sabe o que isso significa? Que a maior força do cosmo o entende e intercede por você. "Temos um intercessor junto ao Pai, Jesus Cristo, o Justo" (1JO 2:1).

O SALVADOR MORA AO LADO

Ele ama com
amor inesgotável.

O Café da Manhã de Pedro com Jesus

CONSEGUE VER AQUELE HOMEM nas sombras? É Pedro. Pedro, o apóstolo. Pedro, o impetuoso. Pedro, o extremado. Ele caminhou sobre as águas. Deu um passo direto do barco para o lago. Em breve pregará a milhares. Destemido tanto diante de amigos como na frente de inimigos. Esta noite, porém, aquele que andou sobre as águas correu para se esconder. Aquele que um dia falará com poder está chorando de dor.

Sem fungar nem lamuriar, mas chorando. Berrando. Rosto barbudo enterrado em mãos grossas. Seu uivo ecoa pela noite de Jerusalém. O que o fere mais? O fato de ter feito? Ou o fato de ter jurado que nunca faria?

"'Estou pronto para ir contigo para a prisão e para a morte'. Respondeu Jesus: 'Eu lhe digo, Pedro, que antes que o galo cante hoje, três vezes você negará que me conhece'" (LC 22:33-34).

Negar a Cristo na noite em que ele fora traído já foi suficientemente ruim, mas será que ele precisava se vangloriar de que não faria isso? Uma negação era lamentável, mas três? Três negações foram horríveis, mas ele ainda precisava amaldiçoar? "[Pedro] começou a se amaldiçoar e a jurar: 'Não conheço esse homem!'" (MT 26:74).

Agora, envolvido por um redemoinho de tristeza, Pedro se esconde. Pedro chora. E logo Pedro sairá para pescar.

Ficamos intrigados diante de sua decisão de ir pescar. Sabemos por que ele vai para a Galileia. Disseram-lhe que o Cristo ressurreto encontraria seus discípulos ali. Contudo, o lugar acertado para o encontro não é o mar, mas um monte (MT 28:16). Se os seguidores de Jesus deveriam encontrá-lo num monte, o que estão fazendo num barco? Ninguém lhes mandou pescar, mas foi isso o que fizeram. "'Vou pescar', disse-lhes Simão Pedro. E eles disseram: 'Nós vamos com você'" (JO 21:3). Além disso, Pedro não havia deixado de pescar? Dois anos antes, quando Jesus o chamou para ser pescador de homens, Pedro não havia deixado as redes e seguido o Mestre? Não o vimos pescar desde então. Nunca mais o vimos pescar de novo. Por que está pescando agora? Especialmente agora! Jesus havia ressuscitado dos mortos. Pedro vira a tumba vazia. Quem poderia pescar numa hora dessa?

Por acaso estariam com fome? Talvez essa seja a razão. Pode ser que a atividade tenha sido motivada por estômagos vazios.

Ou também pode ser que ela tenha se iniciado em razão de um coração partido.

Sabe, Pedro não podia negar sua negação. A tumba vazia não eliminou o canto do galo. Cristo retornara, mas Pedro pensou, ou deve ter pensado: "Depois do que fiz, será que ele voltaria para alguém como eu?".

Já pensamos a mesma coisa. Por acaso Pedro é a única pessoa a fazer exatamente aquilo que jurou jamais repetir?

"Para mim, infidelidade é coisa do passado!"

"De agora em diante, controlarei minha língua."

"Chega de acordos duvidosos. Aprendi a lição."

Ah, o volume de nossa jactância. E, ah, a dor que nossa vergonha provoca no coração.

Em vez de resistir ao flerte, correspondemos.

Em vez de ignorar a fofoca, passamos a notícia adiante.

Em vez de nos apegarmos à verdade, a encobrimos.

O galo canta, a convicção trespassa e Pedro ganha um parceiro nas sombras. Choramos como Pedro chorou e fazemos o que Pedro fez. Saímos para pescar. Voltamos à nossa velha vida. Voltamos às práticas do tempo anterior a Jesus. Fazemos aquilo que nos é natural, em vez de aquilo que é espiritual. E perguntamos se Jesus tem um lugar para pessoas como nós.

Jesus responde a essa pergunta. Responde a você, a mim e a todo que tende a agir como Pedro diante de Cristo. A resposta de Jesus veio à beira da praia, na forma de um presente a Pedro. Sabe o que Jesus fez? Abriu as águas? Transformou o barco em ouro e as redes em prata? Não, Jesus fez algo muito mais significativo. Convidou Pedro para um café da manhã. Jesus preparou uma refeição.

É claro que o café da manhã foi um momento especial entre muitos naquela manhã. Houve a grande pesca e o reconhecimento de Jesus. O mergulho de Pedro e o ato de remar dos discípulos. E houve o momento em que chegaram à costa e encontraram Jesus junto às brasas. O peixe estava apetitoso e o pão estava à espera; aquele que derrotou o inferno e que governa o céu convidou seus amigos a se sentarem e comerem um pouco.

Ninguém poderia estar mais agradecido que Pedro.

A ideia de que uma virgem seria escolhida por Deus para dar à luz a si mesmo...
A noção de que Deus teria cabelo, dedos e dois olhos...
O pensamento de que o Rei do universo espirraria, arrotaria
e seria picado por mosquitos...
É incrível demais. É revolucionário demais.
Jamais criaríamos um Salvador assim.
Não somos tão ousados...

Mesmo em nossos sonhos mais loucos não imaginaríamos um rei
que se tornasse um de nós.

Mas Deus agiu assim. Deus fez aquilo que não ousaríamos sequer sonhar.
Ele fez o que não poderíamos imaginar.
Tornou-se homem para que pudéssemos confiar nele.
Tornou-se sacrifício para que pudéssemos conhecê-lo.
E derrotou a morte para que pudéssemos segui-lo.

QUANDO OS ANJOS SILENCIARAM

SEU LEGADO

Jesus...
Aqueles que o viram
nunca mais foram os mesmos.

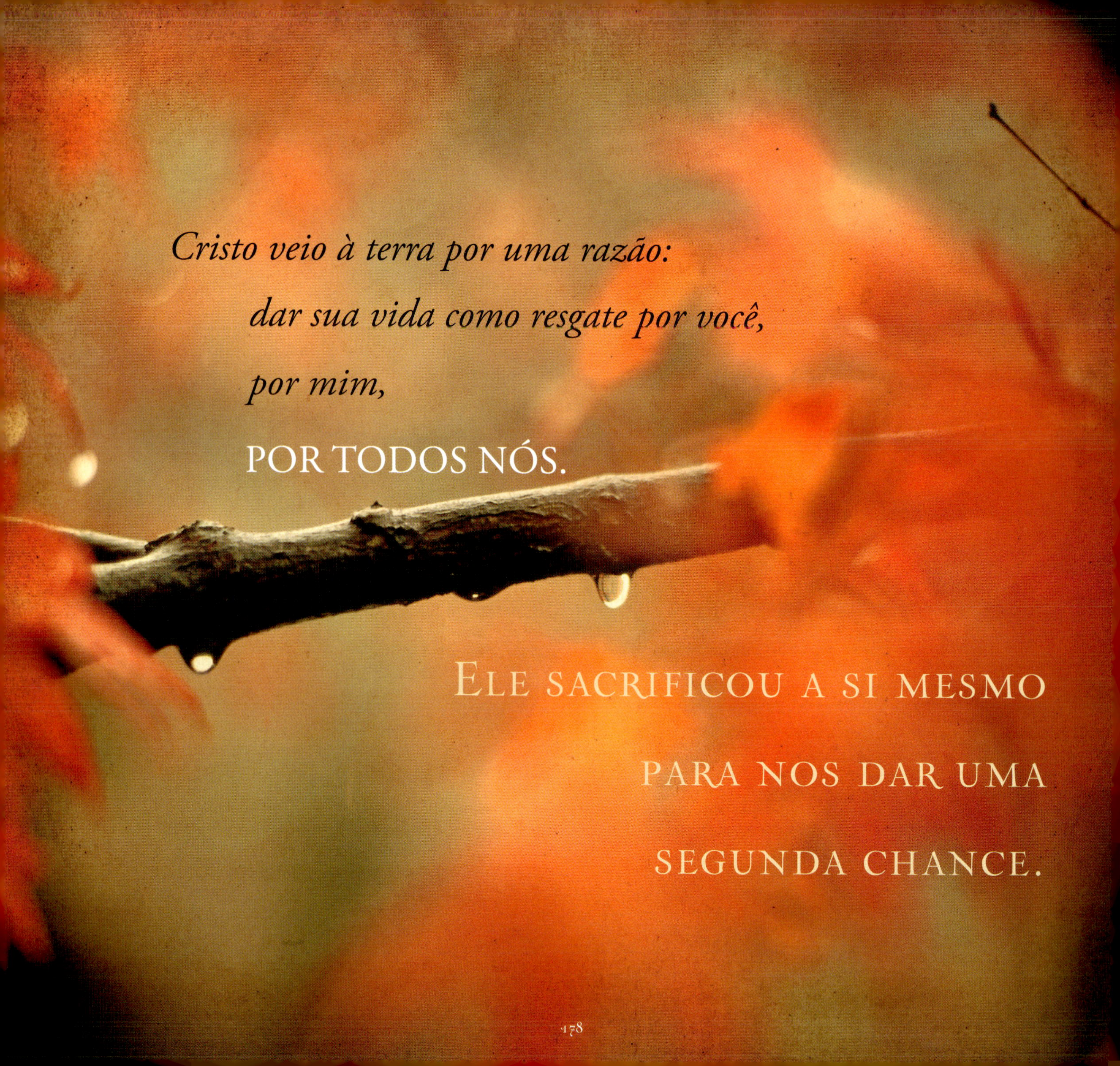

Cristo veio à terra por uma razão:

dar sua vida como resgate por você,

por mim,

POR TODOS NÓS.

ELE SACRIFICOU A SI MESMO

PARA NOS DAR UMA

SEGUNDA CHANCE.

Ele Fez Isso Especialmente por Você

QUANDO DEUS INSERIU-SE no tempo e tornou-se homem, aquele que era ilimitado limitou-se. Aprisionado pela carne. Restrito por músculos propensos a se cansar e a pálpebras. Por mais de três décadas, seu alcance antes ilimitado seria limitado pelo alcance de um braço, sua velocidade, controlada pelo ritmo dos pés humanos.

Fico pensando se ele se sentiu tentado a reclamar da perda de sua infinitude. Será que, no meio de uma longa viagem, ele não considerou a ideia de se transportar imediatamente para a próxima cidade? Quando a chuva lhe esfriou os ossos, será que não se sentiu tentado a mudar o clima? Quando o calor lhe secou os lábios, será que nunca pensou em ir para o Caribe em busca de refrigério?

Ainda que tenha tido tais pensamentos, nunca cedeu a eles. Nem uma vez sequer. Pare e pense nisso. Cristo jamais usou seus poderes sobrenaturais para obter conforto pessoal. Com uma palavra ele poderia ter transformado a terra dura numa cama macia, mas não o fez. Com um movimento de sua mão, poderia ter mandado de volta o cuspe de seus acusadores bem na cara deles, mas não o fez. Com um movimento de sua sobrancelha poderia ter paralisado a mão do soldado quando este lhe enfiava a coroa de espinhos. Mas não o fez.

Quer saber qual é a coisa mais legal em relação à sua vinda?

Não foi o fato de Aquele que brincava de bolinha de gude com as estrelas ter aberto mão disso para brincar de bolinha de gude com bolinhas de gude. Também não foi o fato de Aquele que sustentava as galáxias ter aberto mão disso para segurar batentes de porta de um cliente irritado que queria tudo para ontem, mas que só poderia pagar amanhã.

Também não foi a questão de, num piscar de olhos, Aquele que não tinha necessidade de nada passar a precisar de ar, comida, água quente e sais para seus pés cansados e, mais do que qualquer outra coisa, precisar de alguém — qualquer um — que estivesse mais preocupado com o lugar onde passaria a eternidade do que com o lugar onde gastaria o salário.

Também não foi o fato de ter resistido ao desejo de fritar os mesquinhos e autodefinidos protetores da santidade que ousaram sugerir que ele fazia obras do diabo.

Nem foi o fato de ele ter-se mantido calmo quando os doze melhores amigos que tivera sentiram o calor e saíram da cozinha. Nem o fato de não ter dado permissão aos anjos que imploravam "apenas um sinal com a cabeça, Senhor. Uma palavra e esses demônios serão transformados em ovos fritos".

Nem mesmo o fato de ele ter-se recusado a se defender quando recebeu a acusação de todos os pecados de toda prostituta e de todo vadio desde Adão. Ou que tenha permanecido em silêncio enquanto milhões de veredictos de "culpado" ecoavam no tribunal dos céus e o doador da luz era deixado no frio da noite de um pecador.

Não foi nem mesmo o fato de, depois de três dias num buraco escuro, ele ter caminhado no alvorecer da Páscoa com um sorriso, um andar altivo e uma pergunta ao humilhado Lúcifer: "Esse é o seu melhor golpe?".

Tudo isso foi legal, muito legal.

Mas quer saber qual foi a coisa mais legal em relação àquele que abdicou da coroa do céu para usar a coroa de espinhos?

Ele fez isso por você. *Especialmente por você.*

Jesus afirma

QUE É A SOLUÇÃO

para o cansaço da alma.

Sua bondade e misericórdia

Não é ousadia demais imaginar um Deus que nos segue? Que nos segue com "bondade e misericórdia" todos os dias da nossa vida? ❉ Os discípulos de Jesus sabiam qual era a sensação de ser seguido por Deus. Estavam ensopados pela chuva e tremendo de frio quando olharam para trás e viram Jesus caminhando na direção deles. Deus os seguira em meio à tempestade. ❉ Uma mulher samaritana anônima conheceu a mesma sensação. Estava sozinha na vida e sozinha no poço quando olhou para trás e ouviu o Messias falar. Deus a seguira em meio à sua dor. ❉ O apóstolo João estava em seu exílio em Patmos quando olhou para trás e viu os céus se abrindo. Deus o seguira até seu exílio. ❉ Lázaro estava morto havia três dias num túmulo selado quando ouviu uma voz, ergueu a cabeça, olhou para trás e viu Jesus em pé. Deus o seguira até a morte. ❉ Pedro negara seu Senhor e voltara a pescar quando ouviu seu nome, olhou para trás e viu Jesus preparando o desjejum. Deus o seguira apesar de suas falhas. ❉ Deus é o Deus que segue. Fico pensando... você já o sentiu seguindo você? Ele ainda segue. Nunca nos força. Nunca nos deixa. Persiste pacientemente. Está fielmente presente. Usa todo seu poder para nos convencer que é quem diz ser e que podemos confiar que nos levará ao lar. Sua bondade e misericórdia certamente nos seguirão todos os dias da vida.

O movimento continua

A crença do filósofo francês Voltaire: A Bíblia e o cristianismo acabariam em cem anos. Ele morreu em 1778;

o movimento continua.

O pronunciamento de Friedrich Nietzsche em 1882: "Deus está morto". O alvorecer da ciência, acreditava ele, seria o ocaso da fé. A ciência alvoreceu;

o movimento continua.

Como um dicionário comunista definiu a Bíblia: "É uma coleção de lendas fantásticas sem nenhum apoio científico". O comunismo está desaparecendo;

o movimento continua.

É A DESCOBERTA de todos que tentaram sepultar a fé. A mesma dos que tentaram sepultar seu fundador: ele não ficou na tumba.

Os fatos: o movimento nunca foi tão forte. Cerca de um bilhão de católicos e quase o mesmo número de protestantes.

A pergunta: como se explica isso? Jesus foi um camponês de um lugar atrasado qualquer. Nunca escreveu um livro, nunca teve uma posição importante. Nunca se afastou mais de trezentos quilômetros de sua cidade natal. Os amigos o abandonaram. Um o traiu. Aqueles a quem ajudou se esqueceram dele. Antes de sua morte, as pessoas o abandonaram. Mas, depois de sua morte, não puderam resistir-lhe. O que provocou a mudança?

A resposta: sua morte e ressurreição. Pois, quando ele morreu, o mesmo aconteceu com o pecado que você tem em sua vida. Quando ressuscitou, o mesmo aconteceu com sua esperança. Pois, quando ele ressuscitou, a sepultura onde você será enterrado deixou de ser uma residência definitiva para transformar-se numa habitação temporária.

A razão de ter feito isso: a face que você vê quando olha para o espelho.

O veredicto após dois milênios: Herodes estava certo; só há lugar para um Rei.

ELE ESCOLHEU OS CRAVOS

Ele é amor

"O amor [...] tudo suporta" (1Co 13:4-7).

Ele poderia ter desistido. Ninguém ficaria sabendo. Jesus poderia ter desistido.

Uma olhada na tumba poderia tê-lo desanimado. Deus está tão desimpedido quanto o ar e tão livre quanto o céu. Como poderia reduzir seu mundo ao ventre de uma jovem por nove meses?

Nove meses? Eis outra razão para desistir. Os céus não possuem meses. Não há tempo no céu. Ou talvez, melhor dizendo, o céu tem todo o tempo. Nós é que estamos ficando sem ele. O nosso passa tão rápido que o medimos em segundos. Será que Cristo não preferia estar do outro lado da cordilheira do tempo?

Poderia tê-lo feito. Poderia ter desistido. Ainda que não desistisse, poderia ter mudado alguma coisa. Precisava tornar-se carne? Que tal tornar-se luz? Veja uma ideia. O céu poderia se abrir e Cristo chegaria à terra na forma de uma luz branca. Então, no meio da luz, poderia haver uma voz estrondosa, retumbante, de fazer tremer os dentes. Inclua uma rajada de vento e os anjos como vocais de fundo e o mundo inteiro notaria!

Do jeito como foram as coisas, pouca gente notou quando ele veio. Não houve nenhuma parada em Belém. Não se promoveu um banquete. Talvez você ache que um feriado tivesse sido adequado. Ou pelo menos algumas flâmulas no estábulo.

Ah, o estábulo. Não seria essa outra razão para Cristo recuar? Estábulos são malcheirosos, sujos. Não têm chão de linóleo nem máscaras de oxigênio. Como poderiam cortar o cordão umbilical? E quem o cortaria? José? Um carpinteiro sem importância de uma cidade longínqua? Não há um pai melhor para Deus? Alguém com instrução, com pedigree. Alguém com um pouco de influência? Esse camarada não conseguiu nem sequer arrumar um quarto no hotel. Você acha que ele preenche os requisitos para ser o pai do Criador do universo?

Jesus poderia ter desistido. Imagine a mudança que precisou fazer, a distância que teve de viajar. Como seria tornar-se carne?...

O amor vai aonde é necessário... e Cristo viajou da eternidade sem limite para ser confinado pelo tempo e tornar-se um de nós. Não precisava fazê-lo. Poderia ter desistido. Em qualquer ponto do caminho ele poderia ter colocado um ponto final naquilo tudo.

Quando viu o tamanho do útero, poderia ter desistido.

Quando percebeu como suas mãos seriam pequenas, quão suave seria sua voz, quanta fome seu estômago sentiria, poderia ter desistido. Ao primeiro sinal do mau cheiro do estábulo, diante da primeira rajada de ar frio. Na primeira vez em que arranhou o joelho ou assoou o nariz ou comeu pão queimado, poderia ter virado as costas e ido embora.

Quando viu o chão poeirento de sua casa em Nazaré. Quando José lhe deu uma tarefa a cumprir. Quando seus colegas de escola cochilaram durante a leitura da Torá, a sua Torá. Quando o vizinho tomou seu nome em vão. Quando o fazendeiro preguiçoso culpou a Deus pela colheita ruim. Em qualquer momento Jesus poderia ter dito: "Chega! Já basta! Vou para casa". Mas ele não fez isso.

Não o fez, porque ele é amor. E "o amor [...] tudo suporta" (1CO 13:4-7).

Aprenda a compartilhar um amor que vale a pena

Jesus
O AMOR VAI AONDE É NECESSÁRIO.

ELE FOI O DEUS-HOMEM.

Jesus não foi um homem semelhante a Deus, nem um
Deus semelhante a um homem. Ele foi o Deus-homem.
Criado por um carpinteiro.
Banhado por uma moça do interior.
O criador do mundo com umbigo.
O autor da Torá que aprendeu a Torá.
O ser humano do céu. E, porque o foi, coçamos a cabeça, piscamos duas vezes,
olhamos sem entender e vivemos momentos como estes:
Bordeaux em vez de H_2O.
Um aleijado patrocinando o baile da cidade.
Um saquinho de lanche enchendo a barriga de cinco mil.
E, acima de tudo, uma sepultura: guardada por soldados, selada por uma pedra e,
mesmo assim, abandonada por um morto de três dias.
O que fazer diante desses momentos?
O que fazer diante de uma pessoa assim? Aplaudimos os homens por fazerem
coisas boas. Reverenciamos a Deus por fazer coisas grandiosas.
Mas o que fazer quando um homem faz coisas divinas?
Uma coisa é certa: não podemos ignorá-lo.

O SALVADOR MORA AO LADO

Ele nos convida a amá-lo.

Ele insiste em que o amemos.

Mas, no fim das contas, a escolha é sua e minha.

SEU NOME É *Jesus*

FONTES

Todo o material deste livro foi originariamente publicado nos livros de Max Lucado apresentados a seguir. O autor detém o *copyright* das obras originais.

A Gentle Thunder. Nashville: Thomas Nelson, 1995. [*Ouvindo Deus na tormenta*. Rio de Janeiro: CPAD, 2006.]

A Love Worth Giving. Nashville: Thomas Nelson, 2002. [*Aprenda a compartilhar um amor que vale a pena*. Rio de Janeiro: CPAD, 2003.]

And the Angels Were Silent. Nashville: Thomas Nelson, 2003. [*Quando os anjos silenciaram*. Campinas, SP: United Press, 1999.]

Come Thirsty. Nashville: Thomas Nelson, 2004. [*Quem tem sede venha*. Rio de Janeiro: CPAD, 2006.]

Cure for the Common Life. Nashville: Thomas Nelson, 2005. [*Quebrando a rotina*. Rio de Janeiro: CPAD, 2006.]

Every Day Deserves a Chance. Nashville: Thomas Nelson, 2007. [*Todo dia é um dia especial*. Rio de Janeiro: Thomas Nelson Brasil, 2007.]

God Came Near. Nashville: Thomas Nelson, 2003.

He Chose the Nails. Nashville: Thomas Nelson, 2000. [*Ele escolheu os cravos*. Rio de Janeiro: CPAD, 2002.]

He Still Moves Stones. Nashville: Thomas Nelson, 1993. [*Ele ainda remove pedras*. Rio de Janeiro: CPAD, 2006.]

In the Eye of the Storm. Nashville: Thomas Nelson, 1991. [*Um dia na vida de Jesus*. São Paulo: Vida Cristã, 2002.]

It's Not About Me. Nashville: Thomas Nelson, 2004. [*Isto não é para mim*. Rio de Janeiro: CPAD, 2007.]

Just Like Jesus. Nashville: Thomas Nelson, 1998. [*Simplesmente como Jesus*. Rio de Janeiro: CPAD, 2000.]

Next Door Savior. Nashville: Thomas Nelson, 2003. [*O Salvador mora ao lado*. Rio de Janeiro: CPAD, 2005.]

No Wonder They Call Him the Savior. Nashville: Thomas Nelson, 2003. [*Seu nome é Salvador*. São Paulo: Vida Cristã, 1987.]

Six Hours One Friday. Nashville: Thomas Nelson, 2003. [*Seis horas de uma sexta-feira*. Sao Paulo: Vida, 1994.]

The Applause of Heaven. Nashville: Thomas Nelson, 1990. [*O aplauso do céu*. Campinas, SP: United Press, 2005.]

The Great House of God. Nashville: Thomas Nelson, 1997. [*A grande casa de Deus*. Rio de Janeiro: CPAD, 2005.]

Traveling Light. Nashville: Thomas Nelson, 2000. [*Aliviando a bagagem*. Rio de Janeiro: CPAD, 2002.]

When Christ Comes. Nashville: Thomas Nelson, 1999. [*Quando Cristo voltar*. Rio de Janeiro: CPAD, 1999.]

When God Whispers Your Name. Nashville: Thomas Nelson, 1994. [*Quando Deus sussurra o seu nome*. Rio de Janeiro: CPAD, 2005.]